JOUT JOUT
TÁ TODO MUNDO MAL

O LIVRO DAS CRISES

JOUT JOUT
TÁ TODO MUNDO MAL

COMPANHIA DAS LETRAS

Copyright © 2016 by Julia Tolezano da Veiga Faria

Grafia atualizada segundo o Acordo Ortográfico da Língua Portuguesa de 1990, que entrou em vigor no Brasil em 2009.

Capa e projeto gráfico
Alceu Chiesorin Nunes

Ilustração de capa
Bruno Romão

Preparação
Beatriz Antunes

Revisão
Renata Lopes Del Nero
Adriana Moreira Pedro

Dados Internacionais de Catalogação na Publicação (CIP)
(Câmara Brasileira do Livro, SP, Brasil)

Jout, Jout
    Tá todo mundo mal : o livro das crises / Jout Jout [Julia
Tolezano da Veiga Faria] — 1ª ed. — São Paulo : Companhia das
Letras, 2016.

    ISBN 978-85-359-2720-7

    1. Crônicas brasileiras I. Título.

16-02924   CDD-869.8

Índice para catálogo sistemático:
1. Crônicas : Literatura brasileira   869.8

3ª reimpressão

[2016]
Todos os direitos desta edição reservados à
EDITORA SCHWARCZ S.A.
Rua Bandeira Paulista, 702, cj. 32
04532-002 — São Paulo — SP
Telefone: (11) 3707-3500
Fax: (11) 3707-3501
www.companhiadasletras.com.br
www.blogdacompanhia.com.br
facebook.com/companhiadasletras
instagram.com/companhiadasletras
twitter.com/cialetras

SUMÁRIO

Prefácio — por Caio Franco, 9
Apresentação, 15

A crise da ilusão materna pré-festa, 19
A crise da puberdade injusta, 23
A crise da festa versus moletom, 28
A crise de quando fui cadeira, 33
A crise do "podia não ter acontecido", 38
A crise da decepção atrasada, 42
A crise da paixão desagradável, 46
A crise da aversão à estética, 49
A crise do corpo de mentira, 54
A crise da liberdade tardia, 58
A crise constante que era ter um Tamagotchi, 62
A crise de quando você nota que sua vida não é uma série, 65
A crise da poeira desnecessária, 69
A crise da ausência de talentos, 72

A crise de não curtir o paraíso em paz, 76

A crise do escritório, 79

A crise do medo da possibilidade de um estupro, 90

A crise da crise que eu não sabia que estava ali, 95

A crise da minha amiga, 98

A crise de ter um emprego esquisito, 102

A crise do medo de críticas, 108

A crise da possível polêmica de uma siririca, 111

A crise de ser amada/odiada demais, 115

A crise de "o que aconteceu com o gato de Maria Cláudia?", 119

A crise das histórias do meu pai, 120

A crise do irmão mais novo crescido, 124

A crise do Gregorio, 127

A crise das marcas que não entendem, 130

A crise da liberdade excessiva, 136

A crise de quando Caio sai, 140

A crise dos puns quentinhos, 143

A crise de ter que ser empurrado, 146

A crise do agora não dá, 149

A crise do que é prático versus romântico, 152

A crise do sexo da vida real, 155

A crise de quando meu namorado não pegou sarna, 160

A crise de não conseguir devolver as coisas dos outros, 163

A crise de quando sobra uma quantidade irritante de comida no prato, 166

A crise de não saber lidar com a morte, 170

A crise de ser uma amiga ruim, 171

A crise de não ser a confidente, 175
A crise de influenciar demais, 178
A crise do primeiro namorado, 182
A crise da culpa hereditária, 185
A crise de ficar no chinelo, 189
A crise das coisas que parecem certas na hora, sem um motivo aparente, e você acaba duvidando da validade delas por isso, e depois acha tranquilo, porque tudo bem, 191

PREFÁCIO

por Caio Franco

Julia diz que tudo começou no fatídico dia em que pedi a ela para ler alguns de seus textos. Ela, que ainda não sabia lidar nem um pouco com críticas, me deixou ler, mas com a condição de não ver minhas reações enquanto meus olhos batiam em suas palavras, pensamentos, ideias e devaneios.

Comecei a ler.

Ela começou a chorar.

Li mesmo assim.

Ela ansiosa e temerosa.

Continuei lendo.

Ela foi se acalmando.

Eu ri.

Quando terminei aquele início de livro que ainda não foi escrito, fiquei feliz pelo avanço que tínhamos feito. Ela finalmente tinha me deixado chegar perto de uma de suas criações. Eu me senti mais íntimo, mais confiante e mais alegre naquele que era nosso terceiro ou quarto mês de namoro. Vi também que nada é abrupto. "Foi difícil chegar aqui!", provavelmente pensei. "Agora, o que fazer?"

Primeiro: elogiei o texto dela. Não que eu tenha uma opinião superbem formada sobre a literatura em geral. Não sou formado em letras, não era o geniozinho da faculdade, não era alguém influente no meio literário independente. Mas era o namorado dela, que queria, há semanas, ler algo que ela tinha escrito.

Segundo: deitei ela no sofá ou na cama e abracei, beijei, fiz coisas loucas (ela entende) para comemorar aquele fato e animar uma moça insegura e chorosa que estava ao meu lado.

Conversamos mais um pouco. Depois provavelmente fomos comer alguma coisa. Lembramos de alguma história sem sentido. Fofocamos um pouco. Saímos. Fomos comprar alguma coisa que estava faltando em algum lugar. Em suma, seguimos com a vida.

Meses depois desse episódio, Julia veio com a ideia de criar um canal no YouTube. Segundo ela, havia dois objetivos nessa empreitada:

1. Matar a saudade de Tila, sua melhor amiga, que estava morando fora. Ela queria gravar umas coisinhas para a amiga se sentir mais próxima dela.

2. Lidar com o medo de críticas.

Ahá! Aí está ele novamente! O medo das críticas! Tão presente em milhares de cabeças de jovens e adultos, que não conseguem mostrar nem uma pequena ideia que tiveram para as pessoas mais próximas. Julia não havia esquecido aquele dia em que me deixou ler o seu livro. Aquilo não passou em branco, mesmo que as horas e os dias seguintes parecessem ter passado um pano de leve em cima de tudo. Ninguém esquece os próprios medos. Pelo menos não até os superarmos.

Quase dois anos depois do início do canal, Julia agora lança seu livro. Acompanhei de perto toda a felicidade, a angústia, o suor, a raiva, o alívio, a incerteza e outros diversos sentimentos que envolvem a tarefa de escrever um livro (pelo menos da nossa querida autora aqui). Acompanhei o convite, o êxtase na possibilidade de, sim!, realizar um dos sonhos de adolescente de Julia. Depois, vieram as dúvidas e incertezas sobre o que escrever. Vou falar do canal? Da minha vida? Quem quer saber dessas coisas? Vou escrever ficção? Não posso, pelo menos agora. Ou posso? Caio, o que eu faço? Será que as pessoas vão gostar?

A gente, ingenuamente, pensa que, quando conseguimos algo que queremos muito (ou imaginamos querer muito), tudo se encaixa e será bonito e colorido. Não é bem assim. Um filme de que gosto muito já diz que: se ganharmos na loteria, continuaremos sendo as mesmas pessoas de sempre, só que com alguns carros e iates a mais. Se somos chatos, inseguros e mesquinhos, continuaremos da mesma forma.

Julia ia escrever um livro, mas continuava criativa, animada, feliz e inteligente. Mas também insegura, com dúvidas, desleixada e preguiçosa. E, é claro, com medo de críticas.

O canal ajudou, e muito, Julia a lidar com críticas. Afinal, não é nada fácil expor sua cútis para diversas pessoas na internet. Não é fácil ler "feminista de merda", "que lixo", "que bosta", entre outras expressões que designam o desinteresse pelo conteúdo e/ou pessoa no vídeo. Porém, junto a isso, também vieram (e vieram primeiro!) os "maravilhosa!", "ótimo vídeo, morri de rir", "hahahahaha" e também "não para de gravar nunca!".

Ela aprendeu, na prática, que é impossível agradar todo mundo.

Com isso, fica claro que não foi um processo fácil. Porém, os meses foram se passando, o canal foi crescendo, o livro, tomando forma e, é claro, a cabeça da Julia, amadurecendo. O medo de críticas foi ficando cada vez menor, dando espaço para um estado de graça, que se refletia nos textos criativos. Encarar o passado como uma fonte de crises pode ter ajudado Julia a ver o lado positivo do cotidiano, com seus mais diversos desafios e aventuras. Logo, o que se iniciou duro e inseguro se transformou numa série de relatos incrivelmente leves, fluidos e divertidos. Assim como ela.

Foi um imenso prazer estar ao lado de Julia durante todo esse processo. Ver essa obra surgir desde sua ideia bruta até o texto final revisado foi de uma sorte tremenda. Espero que as histórias dela impulsionem em vocês o mesmo que em mim: muitas reflexões e muitas risadas.

APRESENTAÇÃO

Você provavelmente não me conhece. Ou me conhece muito. Somos completos desconhecidos ou talvez façamos parte de uma família que cultivamos com um amor imenso. De qualquer forma, somos parecidíssimos. Porque eu tenho crises e você tem crises. Quem sabe já tivemos as mesmas crises. Se você me contasse suas crises, eu riria e falaria "ai, sei exatamente como é". Ou ficaria boquiaberta e um pouco feliz por ainda não ter vivido nada parecido. E quando chegasse a minha vez de ter essa crise em particular, que fiquei tão feliz em não ter, eu lembraria da sua e ficaria ainda mais feliz por saber que não estou sozinha nessa nova crise.

Hoje, do alto dos meus 25 anos, posso dizer que me tornei uma especialista. Já tive crises de todos os tipos, tamanhos, intensidades, direcionadas a todo tipo de gente e de objeto; já tive crises em cidades diferentes e países diferentes. Crises silenciosas e exageradas. A maioria sem necessidade. E já sei até quando uma está chegando. Posso sentir a vibração no ar. É poético. Ainda mais poético quando me dou conta que tenho apenas 25, que ainda tenho aí uns bons setenta e poucos anos de crises pela frente e, quando percebo, estou em crise com tantas possibilidades de crises futuras que ainda nem sei que formas vão tomar. E é ainda melhor quando você percebe que demorou um tempo para calcular quantos anos ainda deve viver e lembra que um dia vai morrer. Mas a crise se torna invencível quando você pensa naquela palestra em que um homem das ciências disse que é possível que um dia a gente chegue a viver por até 120 anos e que provavelmente meu irmão mais novo vai chegar a duzentos — então você fica com aquela sensação de que quer chegar lá, porque nós seres humanos somos incorrigíveis com essa história de imortalidade, mas ao mesmo tempo pensa que ter 120 anos talvez seja um tanto desgastante.

Mas por que crises, Jout Jout? Quem sou eu sem minhas crises, não é mesmo? Minhas amadas crises. Elas é que me fizeram ter essa relação linda que tenho hoje com uma panela de brigadeiro. Por causa delas sei como é maravilhoso chorar lágrimas grossas e soluçantes por motivo nenhum. Conheço a sensação indescritível de bater as costas na parede do chuveiro e ir escorregando lentamente até o chão, aos prantos, enquanto a água quente corre solta. Um desperdício sem fim. Hoje tenho o orgulho de poder dizer que faço parte de um grupo no WhatsApp chamado Shanas em Crise, que só foi possível devido a minha longa e inesgotável experiência nesse ramo. São tantos aprendizados. Incontáveis aprendizados. Tenho um apreço imenso por elas. E não poderia dedicar meu tempo e meus pensamentos a nada além delas. Escrever sobre vitórias? Acertos? Conquistas? Para que isso? Nada mais reconfortante para quem está numa crise do que saber das crises dos outros e ficar medindo em silêncio sobre se a deles é pior ou mais branda que a nossa própria. Então aqui estou. Enumerando gentilmente meus piores momentos. Para você avaliar se os seus foram um pouquinho melhores e ter um sono mais tranquilo.

Hoje a vida está boa. Moro numa casa confortável, a vista da janela é mato e pássaros, meu vizinho ensaia saxofone todo fim de tarde, aprendi a lavar roupa e a fazer um arroz bonzinho à beça. Minhas cachorras são felizes, minha família dá aquele suporte ótimo, meus amigos são uns queridos; tenho um emprego que chega muito perto de ser perfeito e um namorado que passa longe de ser perfeito, que é a melhor qualidade que um namorado perfeito pode ter, estou mais à vontade com meu corpo, com meus princípios, passo os dias recebendo confidências de pessoas reais que me dizem que as ajudei a superar umas crises pesadas pelo caminho, e comecei a me admirar muito mais do que a Julia do passado havia conseguido, o que é importantíssimo no meu mapa astral.

Então quer dizer que acabaram as crises?, você me pergunta.

Risos.

A CRISE DA ILUSÃO MATERNA PRÉ-FESTA

Quando nasci, minha mãe me pegou nos braços e falou:

— Você é a pessoa mais especial que já existiu no planeta.

Depois ela repetiu essa mesma frase inúmeras vezes ao longo da minha vida. Nunca diga isso para os seus filhos. Se eles acreditam, dá uma merda sem tamanho. Eu acreditei. Por vários anos. Até chegar à puberdade e destruir toda a autoestima que tentei construir — com a ajuda da minha mãe — com tanto suor. O que dificulta é que mães são imunes à puberdade.

Elas continuam acreditando que somos especiais, e as reafirmações de grandeza não acabam.

Dentre todas as certezas da minha mãe, a de que mais me lembro é a seguinte: sempre que eu ia a uma festa, ela me falava:

— Sinto que hoje você vai encontrar o seu príncipe encantado.

Uma grande mentira. Eu sabia que era uma grande mentira. Todo mundo sabia que era uma grande mentira. Eu falava:

— Mãe, que grande mentira.

Mas uma pequeníssima parte de mim acreditava um pouquinho naquilo e, assim, uma microchama de esperança se acendia no meu peito de adolescente insegura cheia de espinha, sem queixo e com cabelo alisado escorrendo pela cara até a cintura. Afinal ela sentiu. E quando uma mãe sente é quase certo que vai acontecer. Ela falava "vamos ver", mas era evidente que não aconteceria nada parecido. Nada no mundo é mais certo que isso. Eu nem sabia se acreditava mais em príncipe encantado. Absolutamente tudo me afastava dessa afirmação ridícula. Mas, ainda assim, havia aquela microchaminha.

Lá ia eu para as festas, com um lápis de olho que em nada concordava com o formato do meu olho e com a promessa vazia de um grande amor. Já chegava passando os convidados em revista para ver se detectava algum primo de alguém que eu não conhecia, algum amigo do prédio de alguém, algum primo do amigo do prédio de alguém. Mas não! *Não era essa a intenção da festa!*, eu pensava. Eu tinha que me divertir, dançar, criar lindas memórias — *mas olha lá aquele menino, não conheço aquele menino, será ele?* Uma vergonha sem fim.

Em dado momento da festa eu esquecia por alguns minutos essa palhaçada de príncipe encantado e conseguia esbanjar uns passos de funk.* Comia uns brigadeiros e tomava uns frozens** porque era essa época. Até chegar aquele fim de festa em que os casais já estão formados, quem pegou, pegou, quem não pegou, não pega mais. E ia sobrando a galera da ilusão. Aqueles cujas mães juraram que se dariam bem.

Como eu queria dizer que fui uma adolescente superbem resolvida, que não ligava para rapazes, que não

---

* Eu era referência em passos de funk na época. Hoje não consigo fazer um simples quadradinho.
** Frozen era um "drink" de raspa de gelo distribuído em toda e qualquer festa de quinze anos niteroiense servido nos sabores tangerina e limão. Não levava álcool, mas tinha a sensação de álcool, o que fazia os jovens pensarem que estavam se perdendo na vida.

me apaixonava por meninos no emprestar de uma borracha, que não chorava vendo *Moulin Rouge*. Ó, céus, como eu queria. Mas a verdade é que no final da noite eu arranjava um lugarzinho isolado para — pasme — conversar com a lua. Eu olhava para ela e silenciosamente dizia: "Não foi dessa vez. Mas pelo menos eu tenho você. Você está sempre aí para mim, não é mesmo?", e a partir daí era ladeira abaixo no drama. Drama este que poderia ser evitado com um simples "divirta-se na festa, filha. Espero que seja o.k.".

A CRISE DA PUBERDADE INJUSTA

Eu tenho uma teoria. Dos zero aos doze anos eu era impecável. Um doce de pessoa, delicada, cachos perfeitos, rosto harmônico, pele de pêssego, um amor. E então os treze anos se aproximaram e as pessoas passaram a chamar minha beleza de "exótica". Meu queixo parou de crescer. Ele simplesmente parou. Inclusive isso tinha um nome médico que eu não vou lembrar agora. Mas não seria uma crise se parasse por aí. Meu rosto foi tomado de espinhas. Por todos os lados. Elas começavam onde acabava o cabelo e iam descendo; testa, bochechas, têmporas, queixo, até pararem no pescoço. Coçavam, doíam. Meus braços também desenvolveram umas bolinhas que eu nunca soube o que eram. Pelos em lugares estranhos. Pelos grossos! Incontáveis pelos! De repente meu sovaco fedia. E eu não estava acostumada a usar desodorante porque não existia isso de sovaco feder. Foram inúmeras as vezes que me esqueci de passar desodorante e tive que ficar de casaco o resto do dia para abafar a situação. Meu cabelo desistiu de ser cacheado para se tornar uma imensa nuvem sem estilo definido, que eu achei ingenuamente que poderia domar com alisamentos de todos os tipos. O máximo que consegui depois de muito formol foi um cabelo liso que tinha as pontas triplas mais secas que este mundo já viu, e que escorriam pelas bochechas até cobrir os peitos, aumentando ainda mais a oleosidade do rosto e das costas. E Deus me livre colocar esse cabelo para o lado! Tinha que ser dividido milimetricamente ao meio, senão as pessoas iam me achar arrogante. E pior do que um rosto tomado de espinhas era alguém na minha sala achar que eu estava querendo "me mostrar". O truque para evitar isso era posicionar o pente na direção do nariz e ir escorregando para trás até ficar *bem* no meio. E no final do dia eu amarrava aquilo tudo num rabo de cavalo baixo, péssimo.

Era essa a imagem com a qual eu tinha que lidar todos os dias. O que eu não daria para poder voltar naquela época e fazer um rabo de cavalo *alto*. Eu já estava na pior e parecia que minhas escolhas de como cuidar do meu corpo só me empurravam mais para o fundo desse poço imundo que é a puberdade.

Assim começou a fase máxima da rejeição. Eu, que era a coisa mais doce e amorosa na infância, virei uma menina sem queixo e esquisita que, para aguentar a fase, começou a ficar carrancuda e grosseira. Obviamente nenhum menino da sala estava muito a fim de andar de mãos dadas no recreio, mas ao contrário do que os filmes nos dizem, mesmo com a beleza exótica descrita acima, eu estava sempre rodeada de amigos. Meus recreios nunca eram solitários, e sempre havia alguém dormindo lá em casa. Logo percebi que minha nova aparência não ia ser meu maior atrativo e tive que arranjar uns outros jeitos de atrair as pessoas. Me faltava queixo e autoestima, mas eu fazia qualquer pessoa que colasse do meu lado morrer de rir. Era uma excelente ouvinte, as pessoas faziam fila para desabafar comigo, chorando nos meus ombros (geralmente meninos sofrendo por outras meninas), amiga melhor que eu não havia. Apesar de isso ser um alívio, eu ficava mal de cabeça porque os rapazes iam à escola, morriam de rir comigo, se apaixonavam pelas minhas amigas ou qualquer outra menina, eram rejeitados e vinham chorar no meu colo depois.

Esse é o tipo de crise ingrata, porque você não pode ficar triste por uma coisa que, afinal, não é ruim. Você não reclama, porque seria injusto da sua parte — tem gente que nem amigos tem, não é mesmo? —, mas isso vai dando uma revolta, e tudo o que você quer é que alguém segure um pouquinho a cabeça de um outro alguém que esteja chorando por você. Não importava que eu tivesse amigos ótimos, pessoas que confiavam em mim, gostavam da minha companhia e queriam estar ao meu lado. Mas e os namoradinhos? Eu *precisava* dos namoradinhos. Todos os filmes da Disney que eu havia assistido e rebobinado e visto de novo duzentas vezes me diziam que eu precisava de um namoradinho. Mas eles não estavam lá. Uma vez uma amiga querida inclusive falou que eu era a única menina da sala de quem ela não sentia ciúme, porque eu claramente não conseguiria pegar o namorado dela. De uma delicadeza sem igual. E eu pensava: *pobres desses rapazes que não estão namorando comigo, eu daria uma excelente namorada, eles não têm ideia do que estão perdendo ao me rejeitar.* Talvez eu tenha escrito isso no meu diário, preciso checar. Mas eu realmente acreditava nisso, apesar de sempre ter me considerado superinsegura. Quanto à minha personalidade incrível, desta eu sempre tive certeza.

Em determinado momento, arranjei os namoradinhos que tanto queria e minhas expectativas, sempre muito acima do natural, não foram totalmente satisfeitas.

Achei ótimo, claro, mas hoje a gente vê que grande bobagem são essas cobranças que a gente se faz na adolescência. É uma época muito explosiva, confusa, gente chorando em todo recreio. Um drama que você acha que jamais terá fim. Em determinado momento descobri que meu jeitinho, que eu já sabia que era delícia, era ainda mais eficaz na arte da conquista do que um peito durinho e um rosto lisinho. Desde, é claro, que a conquista valesse a pena.

A CRISE DA FESTA VERSUS MOLETOM

Eu gosto de pensar que sou uma mocinha faceira, superfesteira e que adora um badalo. Insisto diariamente nesse pensamento. Toda hora as pessoas me chamam para festas e eu fico muito animada, escuto músicas dançantes o dia inteiro para me preparar e imagino tudo de maravilhoso que pode acontecer na festa. Mas quando chega a hora de me arrumar, começo a lançar olhares disfarçados para minha cama. Olho para o edredom, para os quatro travesseiros, para o meu computador, para a Netflix, lembro como terminou o último episódio da série que estou assistindo, penso num brigadeiro, numa pipoca, talvez um miojinho bem molenga. Eu tento me arrumar, tento me animar, mas a vida toda hora tenta me mostrar que essa não é a minha realidade. Eu, claro, ignoro, porque sou faceira. Vou à festa, na maioria das vezes até me divirto horrores, danço, faço amigos estranhos, vivo ótimas histórias que serão replicadas em muitas conversas de bar, mas chega um novo dia, chega uma nova festa — e de novo olho para minha cama e só imagino as coisas maravilhosas que podemos fazer juntas, sozinhas, só eu e ela.

Quando você consegue finalmente terminar essa autotortura mental e sair de casa toda engraçadinha e vai para o ponto de ônibus, vem uma nova onda de pensamentos. *Ainda estou perto de casa, dá para desistir; o que será que vai acontecer no próximo episódio daquela série? Quem me convenceu a ir para esse lugar? Ah, mas vai ser legal, tenho certeza, até porque, se for, não vou aguentar o suplício de ouvir histórias incríveis da única festa que perdi. Quem sabe não encontro um rapaz do bem... Mas e se não encontrar, ou encontrar mas não trocarmos telefones? Será que eu quero lidar com essa rejeição? Para que me colocar nessa posição? Muito melhor encontrar um rapaz do bem numa sorveteria derramando sorvete no chão. Não, Julia, isso não acontece, melhor então ir à festa sem expectativas. Já vou então fazendo uma promessa de que não vou ficar com ninguém desde já.*

Depois de quarenta minutos de ônibus passando desesperados, com o letreiro que grita "TURISMO" ou "GARAGEM", chega um que não está ansiando pelo fim do expediente. Você se lança nele desesperada, porque é a última chance de atravessar a ponte de Niterói para o Rio de Janeiro. Uma vez confortável em um assento, começa um sacolejar de ônibus que dá um soninho inigualável. Você imediatamente se arrepende de não estar enfiada num combo edredom + manta com meias peludas, banho tomado, de preferência depois de passar um óleo pós-banho com essência de conforto e alegria. Fecha os olhos e pode se imaginar sorrindo logo antes de pegar no sono. Você quer desistir mas já está perto do Rio, não dá mais para voltar, tem compromisso com amigos, com possíveis peguetes, com um salto alto.

Você chega à fila da festa e esse mesmo salto que te prometeu uma noite de sensualidade agora parece uma péssima ideia. Começa então a dança do passar-o-peso-de-uma-perna-para-a-outra, porque os calcanhares estão sobrecarregados, calcanhares estes que poderiam estar enfiados em uma pantufa. Já começa a se entupir de cerveja, porque lá dentro certamente vai estar o triplo do preço, só que você não bebe rápido, apesar de toda a pressão dos indivíduos que acreditam que uma pessoa com valores é uma pessoa que bebe rápido. Ou seja, já na entrada da festa você está com fome, porque se esqueceu de comer algo em casa, já que se atrasou fantasiando a respeito da possibilidade de não sair de casa, e agora ainda está com a barriga estufada de meia lata de cerveja que foi tudo que você conseguiu beber até chegar sua vez na fila. Então você joga fora meia lata, ou dá para algum amigo que vira tudo em um segundo — um amigo com valores — e entra na festa.

Depois de um monte de cerveja vem o sentimento de que talvez um moletom fosse mais confortável do que uma meia-calça, principalmente quando o xixi bate na porta. Vai ter que levantar o vestido, tirar a meia-calça, abaixar a calcinha, agachar, se mijar inteira, arriscando cair no mijo dos outros, enquanto poderia estar em casa a dois segundos de um banheiro límpido como um céu ensolarado, sem nenhuma possibilidade de algo anti-higiênico acontecer e principalmente *com* papel para se enxugar de forma adequada.

Chega um momento da festa que você já está bêbada o bastante para deixar de lado as comparações com sua casa que só te fazem sofrer. Você fica na festa até o sol raiar, porque precisa de companhia para voltar para sua cidade, já que você mora tão longe da festa que nem devia ter ido. E quando enfim chega em casa e pode fazer tudo o que queria desde ontem, o sol já está na janela, o clima já passou e você se sente mal por estar indo dormir de dia e sem tomar banho. Mas nada disso importa, porque você já não é ninguém, seu pé já não é ninguém, seu cabelo já parece ser feito de cigarro, o delineador já está na bochecha e, assim, no cúmulo da derrota, você se joga na cama cheia de culpa, imprimindo a maquiagem na fronha limpinha e cheirosa, para acordar às quatro da tarde e sentir que perdeu o dia.

Mas às vezes a festa é ótima e supervale a pena.

A CRISE DE QUANDO FUI CADEIRA

Teve um dia que foi um dos piores. Começou algumas semanas antes, quando conheci um rapaz. Um rapaz que claramente não tinha absolutamente nada a ver comigo. Nossos interesses não coincidiam em nenhum ponto. O jeito dele de contar histórias me dava náuseas. Ele tinha um fungar constante de quem tem um desvio de septo brabo, que normalmente não me irritaria, mas que nele me irritava. Nossas alturas eram discrepantes demais. Tudo entre nós estava errado. Inclusive o fato de termos achado coerente começar algum tipo de relação que fosse além do "opa, tudo bom?".

O interessante é que, quando estou solteira, algo acontece no meu corpo que me faz buscar pessoas desastrosas para fincar ao meu lado. O indivíduo pode ser o oposto do que eu considero aceitável, mas eu me apego de uma forma! Dodô* certa vez definiu esse meu estado com a seguinte frase: se uma palmeira demonstrar algum interesse por Julia, ela se apaixona pela palmeira. Não podia estar mais correto. E esse, inclusive, é o gatilho de muitas crises.

Depois de ficar com ele uma única vez e trocar meia dúzia de mensagens muito mequetrefes pelo Facebook, tive a ideia maravilhosa e nada doentia de fazer uma festa na minha casa. Ele não me chamava para sair então eu precisava criar uma situação para encontrar o sujeito. Vamos lembrar mais uma vez que o sujeito de quem falamos nada tinha a ver comigo, não fazia o meu tipo em nenhum aspecto e não havia assunto no mundo que pudéssemos abordar por mais de três minutos. *Mesmo assim* era de extrema importância que eu o encontrasse de novo para continuarmos essa relação que não tinha futuro nenhum, nem como um flerte qualquer. Por esse lindo amor arrumei minha casa, comprei gelo,

* Falei Dodô como se todo mundo conhecesse Dodô. Dodô é uma das melhores pessoas que tem. Amigo maravilhoso de todas as horas. Sempre ali para absolutamente tudo. Compra todos os lançamentos da Apple. Lê Reddit. Tem três telas no quarto para jogar jogos esquisitos. Vê TV Senado.

comidinhas, copos descartáveis e bebidas, arranjei iso-por, selecionei músicas, peguei caixas de som empres-tadas, procurei extensores para ligar tomadas, chamei mais de cinquenta convidados, baguncei meu armário em busca de uma roupa sensual, me maquiei, usei salto.

Chega o dia da festa. Passei a semana em cólicas pensando em como eu o deixaria boquiaberto com mi-nha performance na pista de dança. Deu a hora da festa e ele não chegou. Liguei para pessoas que eu sabia que viriam com ele para saber onde eles estavam, e me dis-seram que estavam a caminho. Esperei. Esperei ansio-samente. Ele enfim chegou, e eu já não conseguia pres-tar atenção em mais nada, apesar de fingir muito bem que eu nem havia notado que ele estava lá. Dei dois bei-jinhos muito descolados em todo o grupo sem diferen-ciá-lo de nenhuma forma e fui me distrair (mentira) pela festa. Ele não vinha falar comigo. Os minutos se arras-tavam, e ele não se aproximava. Eu precisava mudar o curso daquela história. A festa, ninguém sabia, era para ele. Para nós. Para o nosso amor. Vale lembrar aqui mais uma vez que eu e esse menino não tínhamos *sequer* uma afinidade. Não nos interessávamos pelas histórias que o outro contava e não possuíamos qualquer seme-lhança a não ser o fato de sermos ambos humanos. Esse mero detalhe, no entanto, não me impediu de passar a festa inteira criando situações para esbarrar com ele. Sem sucesso. Era impossível. Ele nunca estava sozinho, não saía de um cantinho muito específico da casa aonde eu não conseguia ir. Mas não desisti. Eu precisava me encontrar despretensiosamente com ele na minha própria casa.

Depois de duas horas de completa agonia, o rapaz se desgarra do grupo para ir até o isopor pegar uma cerveja. Era a hora. Eu me lancei — com muita classe — na frente dele como se estivesse indo para algum lugar que não fosse os seus braços e finalmente meu plano aconteceu. Nos esbarramos. Olhei para ele e falei "oi! Olha você aqui!". Tudo ensaiado.

A reação:

Ele me olhou no fundo dos olhos. Sem mudar uma ruga na expressão facial, levantou os braços, segurou nos meus ombros, me chegou para o lado para que eu saísse da frente dele, e continuou seu trajeto até a cerveja.

Olhei para trás. Olhei para a frente. Demorei alguns segundos para entender o que havia acontecido.

Ele tinha um objetivo: pegar uma cerveja. No caminho havia um obstáculo: eu. Ele precisava tirar o obstáculo do caminho. Qual a melhor forma de eliminar um obstáculo valendo-se da lei do menor esforço? Colocar o obstáculo de lado, como fazemos quando uma cadeira obstrui o caminho. A gente não diz "com licença, cadeira", "boa noite, cadeira", "obrigado por me chamar para sua festa, cadeira". A gente chega a cadeira para lá.

Quando me dei conta do que havia acontecido, peguei uma reta em direção ao meu quarto e segui para lá como se não houvesse paredes. Rodrigo* percebeu o drama de longe e foi atrás. Deitei na cama. Ele sentou ao lado. Chorei. Rodrigo pegou uma harpa imaginária e a tocou para mim. Ele é músico. Ele sabe.

Depois disso nunca mais vi o rapaz. O que é uma pena. Poderíamos ser grandes vizinhos que não se falam porque não têm nada em comum.

---

* Falei Rodrigo como se todo mundo conhecesse Rodrigo. Assim como Dodô, ele é outra das melhores pessoas. Também está sempre lá para tudo, exceto se o Vasco estiver jogando. Ele dorme de manhã e fica acordado à noite. Tem muita preguiça para umas coisas e uma energia fora do comum para outras. Não sabe usar palavras de jeito nenhum, mas escuta, o que é ótimo. É incapaz de se aproximar de meninas desconhecidas, exceto se estiver bêbado. Na puberdade não tinha espinhas. Agora tem. Gosta de hambúrguer. E de conversar com a televisão ligada no mudo enquanto passa basquete ou futebol americano. Às vezes é rugby.

A CRISE DO "PODIA NÃO TER ACONTECIDO"

Boa pisciana que sou, passei por uma infinidade de dramas emocionais bem mais pesados do que precisariam ter sido. Sofri três vezes mais, chorei sete. E claro, lidei com tudo da forma mais inadequada e desesperada possível. Esses dias, numa conversa com uma amiga que namora uma pisciana, me dei conta dos fáceis erros que namoradores de piscianos cometem. O que a gente geralmente faz é usar todas as nossas emoções para exagerar todas as situações que aparecem na nossa frente. Quando bota um relacionamento no meio, o troço consegue piorar. Mas existe uma saída secreta, muitas vezes ignorada, que poucos conhecem e que, se não for usada com sabedoria, pode acabar em desgraça: é preciso não dar corda. Tudo que nosso drama emocional precisa é não ser incentivado de forma alguma. É tão simples, mas tão, tão simples, que a gente custa a acreditar. Eu mesma só fui descobrir isso com 23 anos na cara. E também só descobri porque fui abençoada com uma monografia que não vingou no sétimo período da faculdade, o que me obrigou a trancar a matéria e tentar de novo no ano seguinte, o que resultou em estar na mesma sala que Caio, que me mostrou a luz.

Até então, o tipo de relacionamento que eu conhecia era: eu fazendo um drama desnecessário, entrando numa DR desgastante, que não costumava fazer sentido, seguida de um sentimento de culpa por ter destruído momentos que poderiam ter sido felizes mas não foram porque exagerei, e assim evoluindo para um novo drama desnecessário. Do outro lado, Caio, que nunca tinha namorado, mas que trazia na bagagem uma sabedoria sobre relacionamentos intuitiva, e que decidiu adiar um período na faculdade para arranjar um estágio e fazer as coisas com mais calma. Num primeiro momento nem nos notamos. Num segundo momento também não. Depois de dois meses de aula, talvez, começamos a nos aproximar muito polidamente, com nenhuma intenção de nada, como toda boa história de amor da vida real se dá. Até que saímos, não ficamos, e combinamos de sair de novo — Caio quis ir devagar porque ele viu algum filme que dizia que tinha que ser assim; eu o chamei para ir a Paraty alguns minutos depois de a gente ficar pela primeira vez, aquele velho esquema.* A questão é que um mês depois estávamos namorando e era maravilhoso porque no início os piscianos são sempre maravilhosos. Mas nos dê mais uns três meses que nossas asinhas começam a sair e já ficamos à vontade o bastante para fazer nossos usuais dramas destruidores de relacionamentos.

Chegou esse momento para nós e eu estava pronta. Fiz um primeiro drama, ele riu. Fiz um outro, ele não notou. Fiz um terceiro, ele não entendeu, mas depois quando entendeu, riu. E assim fui jogando dramas e ele foi rebatendo. Cada vez meus dramas pareciam mais e mais dispensáveis e sem motivo. Eu fui me sentindo ridícula de um jeito bom. Eu já não achava que estava fazendo tudo errado. Eu comecei a rir dos meus dramas. Quando fui ver, estava apaixonada por essa versão de mim que ele fazia vir à tona. Me apaixonei por um sujeito que fez com que eu me apaixonasse por mim mesma. Profundo pra caralho.

* Ascendente em áries.

E assim chegamos à crise que justifica esse capítulo e vem do pensamento de que se eu não tivesse entrado na PUC, se não tivesse escolhido um tema ruim, se não tivesse trancado a matéria, se Caio não tivesse vindo de Brasília pro Rio aos sete anos, se não tivesse atrasado um período da faculdade, se não tivesse amigos que o aconselhassem a fazer a aula de Carla Siqueira, assim como os meus me aconselharam, se não tivéssemos nascido quando nascemos, e vivido como vivemos, existiria a imensa possibilidade de nada disso ter acontecido. Talvez até hoje eu estivesse não sabendo me relacionar de um jeito saudável. Talvez eu nem estivesse escrevendo este livro. Ele não estaria ali atrás muito concentrado em responder e-mails (de óculos escuros dentro de casa) sentado naquela poltroninha. Provavelmente eu nem teria um canal no YouTube. E certamente eu deixaria de incluir neste livro uma crise ou outra. E por isso, todas essas possibilidades me dão uma bela de uma afliceta.* Porque se o preço para que essas crises não existissem fosse não ter conhecido Caio, não valeria nem um pouco a pena dispensá-las.

---

* "Afliceta" é uma aflição que dá na xereca quando coisas agoniantes acontecem. Pode ser algo que envolva um prego no olho. Ou a possibilidade de não ter vivido coisas legais que você viveu.

A CRISE DA DECEPÇÃO ATRASADA

Nos primeiros anos de escola, eu era uma mocinha adorável. Estava sempre rodeada de amigos, sendo "amigo", naquela época, uma pessoa do meu tamanho que possuía brinquedos legais e/ou uma fantasia maneira. Tinha uma amiga que era mais especial do que todas as outras pessoas do meu tamanho. Éramos inseparáveis. Eu, muito sapeca, arranjava namorados com uma frequência incrível.

Basicamente havia um diálogo padrão que iniciava os relacionamentos todos:

— Quer ser meu namorado?

— Quero.

O problema era que esses namoros erigidos sobre bases tão fortes eram quebrados por essa amiga inseparável com a mesma facilidade com que começavam. Bastava um outro diálogo, um tico mais complexo:

— Você namora a Julia?

— Uhum.

— Quer namorar comigo agora?

— Uhum.

Foi uma época difícil; todas as manhãs começavam com a notícia de que meu namorado do dia anterior agora namorava a minha melhor amiga. O sofrimento, apesar disso, durava o tempo de olhar para o lado e descobrir outro rapazinho correndo solto pelo recreio. E mais uma vez um laço lindo de amor era feito. Para no dia seguinte ser quebrado.

As opções de começar um grande amor iam ficando escassas, até que um dia resolvi focar meus esforços de sedução no rapaz mais esquisito da sala. Era o que menos esperava um flerte e o que minha amiga menos esperava roubar. Perfeito.

Decidimos namorar enquanto lavávamos as mãos depois da aula de pintura. A professora nos deixou sozinhos por um deslize e, entre olhares, ambos avançamos para um beijinho. Foi uma graça.

Mas esse namoro também durou um dia, porque as partes integrantes esqueceram no dia seguinte que estavam namorando. Já se percebia os sinais de uma nova geração ali. Essa foi, talvez, a última vez em muito tempo em que me senti segura o bastante para entrar em relacionamentos de cabeça e com tamanha facilidade. Daí em diante foi ladeira abaixo. Mas a crise não está aí. Essa história só está aí porque eu acho ela bonitinha à beça. A verdadeira crise veio anos depois.

Um desses namorados é o mais especial na minha memória. Hoje, olhando para trás, vejo que especial mesmo foi minha amiga não querer roubá-lo de mim. Mas antes de ser tomada por esse momento de sabedoria, o especial era um outro que vivia sendo roubado também. Ele era *supercool*. O mais *cool* dos meninos. E ele era meu namorado sempre. Exceto quando minha amiga roubava. Mas na maioria das vezes era o *meu* namorado. Disso tenho certeza.

Eis que anos depois, já na faculdade, esbarro com esse sujeito num bar. Fui tomada por todos os tipos de emoções ilusórias que estavam enterradas na minha memória, junto com a amiga e todos esses amores de jardim de infância. Imaginei imediatamente nosso casamento, uma história linda para botar no site juliaegustavo.com.br. Isso tudo, é claro, antes de trocar qualquer palavra com ele. Começamos então um diálogo mais ou menos assim:

— Oi!

— Gustavo!

— Er... Oi! — Ele não lembrava meu nome.

— Lembra de mim? Estudamos juntos no maternal — E na minha cabeça: "Éramos apaixonados de um jeito tão ingênuo, vamos retomar esse amor?".

— Ah, lembro! Outro dia falei com a Kiki! Lembra dela? Mudou muito! É engraçado, estávamos lembrando que éramos namoradinhos naquela época. Loucura, né?

Não sei se consegui disfarçar, mas eu morri um pouquinho naquele momento. Enquanto ele falava qualquer coisa desinteressante a respeito do passado, eu calculava os anos de ilusão que vivi.

Dezessete.

A CRISE DA PAIXÃO DESAGRADÁVEL

Um dia minha amiga me aparece apaixonada. Era sua primeira vez e ela estava eufórica. Só sabia falar dele, só queria estar com ele; ela, que sempre foi bastante racional, se deixou envolver feito uma princesa da Disney nesse romance. Alguns meses depois eles terminaram, e ela se trancou no quarto com a promessa de nunca mais sair. Sofreu, chorou intermináveis lágrimas, ameaçou mandar e-mails malcriados, saiu do Facebook, entrou secretamente para avaliar a vida dele de longe, comeu brigadeiro, depois parou de comer qualquer alimento — enfim, o pacote completo. Mas depois de cumprir cada etapa de um término de sucesso, o seu lado ultrarracional voltou à ativa e nada lhe restou senão examinar o cenário com frieza.

Quando conheceu o rapaz em questão, a primeira coisa que ela identificou foi que ele não tinha nada a ver com ela. O fato de ele fugir completamente do seu "tipo", neste caso, era um grande atrativo. Ele tinha comportamentos que ela recriminava, gostos que para ela não faziam sentido, as roupas que ele usava a incomodavam, o estilo musical era desconcertante, os princípios, as crenças: estava tudo errado. Mas quem liga para isso quando o sujeito aparece e o estômago só falta ser cuspido para fora de tanto reboliço que causa? A paixão, para ela, era algo que não tinha uma razão lógica. Era só um monte de sensações descontroladas que faziam você rir de piadas que até outro dia você considerava fracas, e chorar por motivos que você repreende nas comédias românticas. É um desequilíbrio com o qual ela não podia arcar.

Lembro que certa vez estávamos conversando antes de dormir, no melhor estilo pijama-bichinhos-de-pelúcia-brigadeiro-segredinhos, e ela chegou à conclusão de que odiou estar apaixonada. Ela precisava de conforto, segurança, equilíbrio emocional, e a paixão ia contra tudo que ela mais prezava. Alguém em algum filme a tinha convencido — e a mim, e a todos nós — que era preciso viver intensamente, uma vida apaixonada, com rompantes de emoção, sentimentos à flor da pele, e ela quase caiu nessa. Ali ela abriu mão da paixão. Não do amor, da vida a dois, das rotinas gostosas de um casamento feliz, mas da paixão que a fazia perder o controle. Ela não queria essa onda de sentimentos em que ou você é o mais feliz e realizado dos seres, ou o mais miserável; ou está vendo um pôr do sol aos prantos de tanto amor, ou está num canto do quarto comendo os cabelos e queimando fotos.

Eu queria ajudar, falar que era só uma desilusão, que isso passava e que ela tinha que viver fortes emoções de novo, sim. Fiquei imaginando uma vida sem paixão; coisa mais sem graça e difícil de manter. A gente busca isso o tempo todo sem nem notar — quem não quer uma história linda de amor, ou várias histórias lindas de amor, cheias de tensão, frio na barriga, brincadeirinhas idiotas que só fazem sentido para o casal apaixonado? É claro que há momentos de pânico e agonia em que tudo que você quer é chorar para sempre e acha que vai morrer. Mas, no geral, é um sentimento gostoso. Só que eu notei que ela não estava triste com aquela resolução. Não era apenas mais uma pessoa passando por uma desilusão amorosa, quando você decide coisas que nunca vai cumprir de verdade. Ela pensou de verdade nisso e chegou a essa conclusão com calma e equilíbrio.

Não havia muito o que eu pudesse fazer. Ela estava certíssima.

A CRISE DA AVERSÃO À ESTÉTICA

Alguém me disse algum dia que, quando você menstrua cedo, seu peito cresce mais. Mentira. Uma grande mentira. Essa pessoa mentiu para mim e eu, inocente, com apenas doze anos fiquei menstruada e pensei: *terei os maiores peitos que esse mundo já viu*. Mentira. Uma grande mentira. Minha amada menstruação veio antes da de todas as minhas amigas e meus peitos figuram entre os menores até hoje.

Depois de eu contar todo o meu trauma de adolescente com peitos pequenos a Caio, ele fez a gentileza de me confortar falando que eu tenho peitos médios. Um amor. O fato é que meus peitos médios me causavam enorme desconforto no passado. As blusas não cabiam, os vestidos ficavam frouxos no busto e apertados nas ancas, tudo errado. Errado de acordo com o que era desfilado nas matinês da cidade. Depois fui descobrir que não tem isso de errado, mas até chegar nesse desprendimento das modas das matinês, foi uma luta.

Para piorar, minha família, na melhor das intenções, me perguntava em todas as festividades de todos os anos de nossas vidas se eu não queria colocar um siliconezinho. Talvez eles também estivessem presos nas modas de suas matinês. Não, eu não quero botar um siliconezinho, obrigada. Depois de um tempo descobri que não tem problema colocar um siliconezinho. Porque na verdade cada um faz o que quiser da sua vida e quem sou eu para achar que alguém tem mais ou menos valor porque colocou ou não um siliconezinho. Mas o fato era que eu achava que qualquer alteração estética era uma grande vergonha. Desde colocar o cabelo para o lado — que era um suicídio social na minha escola —, até o tal do siliconezinho — menos problemático, talvez. Eu fiquei meio ranzinza com pessoas vaidosas depois que a puberdade chegou destruindo tudo. Era um pensamento que começava em "eu não sou bonita" e terminava em "ninguém mais pode ser".

50

Esse pensamento me custou muito quando descobri, anos depois de muitas crises com a minha puberdade, que o que faltava na minha cara era um queixo. Da mesma forma que algumas pessoas têm um nariz grande demais, uma orelha muito pequena, um braço maior que o outro, eu tinha um queixo que não se desenvolveu junto com o meu rosto. Ele parou nos meus dez anos e eu continuei crescendo. Fui ao doutor e ele disse que aquilo tinha um nome (que eu continuo sem lembrar) e que era importante que eu fizesse uma cirurgia para consertar. Caso eu não fizesse poderia ter umas complicações no futuro tipo apneia, roncar feito louca, uns apitos esquisitos no ouvido e outras coisas nessa linha. Mas na minha cabeça o que martelava era que, acima de toda e qualquer motivação para operar, eu ia ter um rosto harmônico de novo.

Eu decorava o discurso do médico e falava para as pessoas todas as possíveis complicações de saúde que eu teria caso não fizesse a cirurgia, e secretamente pensava mesmo era na parte estética. E isso me doía. Eu tinha uma vergonha terrível de sentir isso, ficava mal por fazer uma cirurgia superinvasiva só para ficar bonita de novo. E a verdade era que não era só isso. Eu realmente teria problemas mais para a frente, afinal até o plano de saúde reconhecia que a cirurgia não era estética. Mas na minha cabeça eu era uma ridícula que só ligava para as aparências. A lógica era simples: se eu não fizer essa cirurgia eu vou morrer? Não. Então é estética. Lógica estúpida.

Eu achava que me esforçar de alguma forma para ficar mais bonita era ruim. Era uma fraqueza. Algo risível. Por ter ficado muito tempo sendo a feinha do grupo, era como se fosse fútil da minha parte — e inútil — querer sair desse lugar; eu me apeguei a ele, assumi que era melhor ser esquisita do que lutar muito para ser bonita e acabar parecendo uma coitada. Por isso eu repreendia qualquer pessoa que ligasse demais para isso, qualquer pessoa que cogitasse colocar o siliconezinho. Alguns dos meus melhores amigos não apoiavam a cirurgia, e isso ainda me deixava ainda mais envergonhada da minha decisão; era como se estivesse escrito "estética! estética!" na minha testa.

Apesar de todas essas questões que existiam apenas na minha cabeça, fiz a bendita da cirurgia. O pós-operatório foi uma das piores experiências da minha vida, mas sobrevivi à base de muitos filmes. Aprendi a dar um valor sobre-humano à escovação da língua e jurei que jamais comeria sopa novamente. Passei dois meses podendo comer apenas líquidos frios e isso me fez chorar quando vi um peixinho frito. Mas tirando os incômodos naturais de um pós-operatório que te impede de abrir a boca, ficou tudo bem. Hoje eu faria tudo de novo sem problemas, e mais: sem culpa! Meu ouvido não apita mais, não tenho mais apneia e só ronco em ocasiões especiais. De brinde, fiz as pazes com a vaidade.

Hoje coloco meu cabelo de lado sem medo de as pessoas pensarem que estou me achando. Faço a unha, hidrato o cabelo quando dá vontade, não acho que malhar é sinônimo de futilidade, me maquio — mal, mas ainda assim conta —, prefiro usar roupas que favoreçam o meu corpo e não tenho problemas em fazer clareamento nos dentes, coisas que soavam absurdas para mim em tempos de renúncia à vaidade. Tudo isso porque demorei para descobrir que as coisas que faço com meu corpo são para meu desfrute exclusivo e nada têm a ver com meus amigos, família e muito menos com os colegas de classe.

É o mesmo que falar "essa menina não tem noção de ridículo". O que é noção de ridículo? Eu nunca soube. Quem define esse ridículo? Como os seres humanos todos podem ter a mesma noção do que é ridículo e do que não é? Ninguém pode definir o que é fútil para mim, ninguém decide o que posso ou não fazer. Afinal, é o meu corpo. Assim como eu decido se vou cortar ou não o cabelo da minha Barbie. Não importa, de verdade, se a minha prima acha que é uma má ideia. A boneca é minha, o corpo é meu, eu decido.

A CRISE DO CORPO DE MENTIRA

Quando completei catorze anos comecei uma longa e — era o que eu achava na época — interminável jornada pelo mundo da pílula. Comecei a menstruar aos doze anos e achava isso O máximo. Me sentia a mulher mais poderosa. Saía no meio da aula para "trocar meu absorvente" e fazia isso com uma expressão corporal que dizia "oi, molecada, vou ali fazer uma coisa que vocês não vão entender, porque são muito novos para isso". Era mágico, era empoderador, era vermelho, era a parede do meu útero. Dois anos se passaram e as espinhas dominaram a minha cara.

Uma ginecologista dessas me aconselha a tomar pílula com promessas irrecusáveis para uma pessoa que está há dois anos com cólicas indesejadas e espinhas infinitas. Era só tomar uma bolotinha daquela por dia, fazer uma pausa de uma semana no final e depois recomeçar. Comecei a tomar pílula e me senti ainda mais adulta. Que garota de catorze anos toma um remédio adulto que tem a função principal de te impedir de engravidar, outra coisa muito adulta?

Em outro momento da vida, uma das minhas melhores amigas do passado, que eu não via há muito tempo, me contava que ia parar de tomar pílula, que a menstruação dela já não era a mesma e que pílula era algo muito sintético e cheio de hormônio e um monte de outros argumentos hippies que pareciam completamente ilógicos para mim na época. Concordei e secretamente achei que ela estava se perdendo na vida.

Agora voltamos para mim aos 24, quando descobri que existia uma alternativa ao absorvente, que não fosse tomar pílula ininterruptamente para parar de menstruar. Fiz um vídeo sobre incômodos que acontecem no corpo de uma mulher e uma amiga notou que muitos surgiam por causa da menstruação. Ela sugeriu que eu tentasse esse tal de coletor menstrual, que é um copinho de silicone que pode ser reutilizado por anos com a função de armazenar o sangue sem absorver seus líquidos naturais da vagina. Achei sustentável, achei moderno, achei poético. Eu ia poder tocar a minha menstruação, sentir a textura, ver a quantidade que sai, despejá-la em vasos para fertilizar as flores, espalhar pelo corpo, ou qualquer coisa que talvez eu não fizesse, mas cuja possibilidade de fazer me animava. Assim foi. Comprei o coletor.

Num dia qualquer observando minha menstruação dentro do copinho — menstruação esta que outrora foi de um vermelho vivo maravilhoso, lindo, brilhante, que carregava uma parede de útero que não foi usada naquele momento, mas que para existir gerou uma série de efeitos completamente naturais no meu corpo, que não me causavam nenhum mal horrível —, notei que ela tinha virado uma pasta marrom escura, feia, esquisita, nada que pudesse fertilizar uma flor. Eu não sofria com crises intensas de cólica, não tinha doenças sérias resultantes desse processo. Nada disso. Só mais uma mocinha como outra qualquer, com umas espinhas, uns poucos pelos esquisitos em lugares esquisitos, com uma cólica chata aqui e ali. Nada que uma bolsa de água quente ou um brigadeiro com filminho não resolvam. Mesmo com esses efeitos normais e nada nocivos, eu achei mais confortável comer um pouquinho de hormônio todos os dias por dez anos. Até que vi minha menstruação no coletor.

Dez anos se passaram, e já não estava tão confortável assim. Já não era tão adulta como aos catorze, já não achava minha menstruação — essa que era fruto da pílula — motivo de orgulho, e não aguentava mais ingerir aquelas bolotas. Elas têm seus lados positivos para muitas mulheres que sofrem muito com algumas reações do período menstrual, mas não fazia uma diferença indispensável para mim. Tudo que ela me trazia era a sensação de que estava num corpo de mentira, com uma menstruação de mentira descendo religiosamente no mesmo bat-dia, no mesmo bat-horário. Cólica? Quase nunca. Espinha? Uma ou outra no mês. TPM? Infalível, nada detém minha TPM. Que tipo de corpo era esse que não reagia a nada?

Não sei o que houve. Não sei se estava me perdendo na vida, ou se foi macumba da minha amiga que considerei louca. Só sei que algum sinal foi mandado dentro do meu corpinho de araque e, quando olhava para uma pílula, me dava uma vontade horrível de vomitar. Não sei como se chama isso, mas não há regras que impeçam que corpo também tenha crises, não é mesmo? E quando um troço que a gente ama tem crises, a melhor forma de lidar é ouvi-lo.

A CRISE DA LIBERDADE TARDIA

Todo e qualquer momento revolucionário que tenho na vida acontece nos lugares menos poéticos. Jamais numa cachoeira, numa caminhada por uma montanha irlandesa, em um chalé na serra ao crepitar da lenha na lareira ou observando as estrelas na calma noite de uma ilha deserta. Nunca. É sempre em um elevador lotado, em pé no ônibus, quase dormindo no meio da aula ou, como nesse caso, num banquinho no metrô, no meio da semana, esperando Caio chegar com o jogo que ele ia trocar com um desconhecido na estação da Central. Nada poético.

Era primavera ou, como podemos chamar no Rio, verão. Calor infernal e eu de shortinho porque estava complicado mesmo. Vagou um lugar em um banco e, sedentária que sou, sentei. Lá estava eu quando cruzei as pernas e me dei conta que minhas coxas estavam completamente expostas. Era um shortinho bem *inho* mesmo. Meu primeiro instinto foi passar a mão ao lado da coxa, onde já sei que se acumulam umas celulites amigas minhas de muito tempo. Senti cada uma delas, como um carro sente o balançar de uma rua de terra esburacada depois de um dia inteiro de chuva forte. Meu segundo instinto seria catar um casaco para cobrir as pernas ou descruzá-las e me endireitar no banco para as celulites se esconderem. Mas não fiz isso. Dessa vez me senti maravilhosa.

No lugar de descruzar as pernas, fiquei parada na posição que estava com um fluxo de pensamentos que durou pouco mais de três segundos. Pensei em todas as vezes que peguei um casaco, uma manta, um cachecol ou qualquer pano que estivesse à mão para poupar o mundo das minhas celulites. Aliás, além delas, temos também umas varizes disponíveis para apreciação. Pensei em como passei pelo menos dez anos repetindo esse mesmo comportamento, em como minhas celulites e varizes nunca machucaram ninguém, em como são inofensivas para quem as observa e como não interferem negativamente na minha vida de forma alguma.

Pensei em como o problema das minhas celulites estava no que eu achava que elas representavam para pessoas que eu sequer conhecia. Ou como elas poderiam resultar em um assunto de no máximo cinco minutos em rodas de amigos na escola. E em como essas rodas tinham pouco conteúdo a ser discutido se o assunto mais divertido fosse minhas celulites, varizes ou qualquer outra coisa imperfeita no meu corpo. Pensei em como, dos problemas todos do mundo, minhas coxas e o que acontece nelas fisiologicamente nem sequer poderiam entrar nesse ranking e ser consideradas problemas. Eu as coloquei lá. Sempre ouvi que era para colocar e eu fui colocando. Nunca me perguntei se era para colocar ou não. Até que um dia me perguntei.

É engraçado como chegamos a conclusões muito diferentes quando questionamos um costume que já está arraigado em nossas entranhas. Você percebe que nem concorda com grande parte deles e que só continua fazendo algumas dessas coisas porque nunca as questionou. Tipo não tomar banho depois de comer, porque pode levar à morte. Alguém disse que não podia em uma época que outras pessoas formavam o seu caráter, em que você não tinha opiniões formadas sobre nada. Tinha certos e errados muito bem definidos e ditados por outros. E aí você cresce e vê que mocinhas não têm que ser mais comportadas do que mocinhos. Que comer manga com leite não mata ninguém. Que suas celulites não são um impeditivo para movimentos naturais como cruzar as pernas.

Talvez se eu estivesse observando um pôr do sol em uma praia deserta, nada disso teria acontecido, mas eu estava em um banquinho sujo do metrô, então...

A CRISE CONSTANTE QUE ERA TER UM TAMAGOTCHI

Existia um troço que acabava com a saúde de qualquer criança dos anos 90 e esse troço se chamava Tamagotchi. Tamagotchi era um microvideogamezinho do tamanho de um relógio de bolso onde morava uma pequena bolinha com olhos. Meu dever, como mãe de uma bolinha dessas, era alimentá-la e evitar que morresse. Caso ela passasse um determinado tempo sem comer, brincar, fazer cocô e outras frescurinhas, ela morria. Um deslize, e a bolinha morria. Se você fosse uma pessoa boa, pura, correta e responsável, sua bolinha se transformava aos poucos em um lindo dinossauro, e você se sentia realizada de uma forma impossível de ser descrita.

É claro que posso apenas especular sobre isso, já que jamais fui capaz de ver minha bolinha virar um dinossauro. Eu perdia meu Tamagotchi, esquecia meu Tamagotchi, molhava meu Tamagotchi, mas acima de tudo eu amava meu Tamagotchi. Tudo que eu queria era vê-lo forte, saudável, alimentado e feliz. Mas não é fácil ser mãe aos seis. Na escola, encontrei grandes dificuldades para conciliar os estudos com a maternidade. As professoras brigavam com os alunos, proibiam a gente de mexer no Tamagotchi durante a aula — mas como eu poderia viver sabendo que meu Tamagotchi morria dentro da minha mochila?

Começou como uma brincadeira ingênua, mas me envolvi de forma tão profunda com a meta de ver minha bolinha metamorfoseada em dinossauro que, toda vez que ela morria, eu chorava a ponto de não ser mais saudável ter um Tamagotchi. Agora, além da minha professora, minha mãe também me proibia de ter um dinossauro virtual.

Aos poucos e relutante aceitei a ideia de que era hora de adiar a angústia de ser mãe de um dinossauro. Apesar de todos os contratempos, até hoje lembro dele com carinho. Me pego vez ou outra revivendo nossos momentos juntos, como ele dormia comigo e me avisava quando queria comer ou brincar. Lembro dos olhos em formato de X indicando o quão desleixada eu havia sido com ele. E lembro também da dor — e secretamente do alívio — que sentia quando a bateria acabava e ele não morria por minha causa, mas por pura falha tecnológica. Foram bons tempos.

A CRISE DE QUANDO VOCÊ NOTA QUE SUA VIDA NÃO É UMA SÉRIE

Durante uma fase bem determinante da minha vida, fui completamente viciada em *Gilmore Girls*. Para quem não sabe, *Gilmore Girls* é uma série de tevê que conta a história de uma mãe e uma filha que são superamigas. Lorelai, a mãe, teve Rory, a filha, aos dezesseis anos e saiu da casa dos pais ricos para levar a vida independente que ela sempre quis, longe dos costumes fúteis da família com os quais ela nunca concordou. A série começa mostrando a relação das duas quando Rory está chegando aos dezesseis anos. Parece meio sem graça, mas é maravilhosa.

Tão maravilhosa que me viciei a ponto de a minha mãe ficar com ciúmes da Lorelai. A ponto de, como as personagens, tomar café compulsivamente, mesmo sem ter muita vontade. A ponto de me vestir em semanas alternadas como Rory e Lorelai. A ponto de querer ter uma pousada. A ponto de querer falar mais rápido que o normal. A ponto de anotar todas as milhões de referências que elas citam e pesquisar uma a uma. A ponto de achar de fato que eu podia ser como as personagens da série. Nessa época não existia Netflix. Tinha apenas você entrando na página do Submarino todos os dias para ver se já tinha o box da nova temporada de alguma série que você queria comprar. Se rolasse um brindezinho por ter sido uma das primeiras a comprar, era vitória dupla.

Nesse período de vício supremo, eu estava no ensino médio, assim como a Rory, e tudo que eu queria era ser igualzinha a ela. Linda, inteligente, conduta ética impecável, princípios inabaláveis, uma biblioteca de livros lidos de mais de trezentos exemplares, irresistível para qualquer rapaz com conteúdo. Eu comprei pastas, bolsas, sapatos, roupas de cama como as dela. Meu vício em séries costuma invadir minha vida dessa forma. Até hoje uso mais anéis do que os meus dedos suportam por causa da Phoebe de Friends. Alguns podem dizer que isso não é saudável, mas eu prefiro me apoiar no pensamento de que há comportamentos menos saudáveis nesse mundo.

Eu passava horas vendo e revendo a série, decorando falas, anotando nomes de bandas e filmes citados. Às vezes eu dormia no meio de algum episódio e acordava no dia seguinte com o menu do DVD tocando a musiquinha de entrada. Eu me sentia péssima, mas era tão bom... Série tem disso. É um mix do melhor sentimento do mundo com um pensamento autodestrutivo constante martelando sua cabeça "você é uma inútil, isso não está acrescentando nada a sua vida. Vai ler um livro. Já estudou hoje? Isso de 'só mais um episodiozinho' já dura quatro horas e você ainda não fez um santo dever de casa". O grande problema, na verdade, nem era esse. O que resultava na crise de fato era que *Gilmore Girls* tinha um agravante: Rory era um gênio, viciada em estudar, só tirava notas maravilhosas e não fazia qualquer atividade sem antes terminar os deveres de casa da semana inteira.

Em vez de me sentir inspirada pela personagem, ser mais proativa, organizada e estudiosa, eu passava horas assistindo a ela ser proativa, organizada e estudiosa, em plena época de vestibular. Horas! Era como se eu estivesse estudando — na minha cabeça. Quando eu parava para estudar um pouco, ficava pensando em como a Rory fazia, que roupa ela usava, como organizava a escrivaninha, o tipo de luminária, o ar bucólico do quarto dela, e logo me imaginava lá, numa casa com as paredes forradas de papel de parede florido, no meio de uma cidadezinha dos Estados Unidos, onde todos se conheciam. Quando me dava conta de que haviam se passado horas e que tudo que eu havia feito não foi mais que organizar a mesa e ler dezesseis vezes a mesma frase de um mesmo livro, era crise certa. Ainda não sei dizer se a crise maior era não conseguir estudar ou não conseguir ser como a Rory. Só sei que não passei no vestibular da UFRJ.

A CRISE DA POEIRA DESNECESSÁRIA

Na época de ensino médio, só quem queria fazer medicina é que tinha certeza do que queria fazer. Exceto meu amigo Leo, que já tinha certeza e hoje é um excelente ator. Eu, que sequer consigo escolher um filme na Netflix, não sabia nem que área do conhecimento humano me agradava. Acabei prestando letras na UFF, jornalismo na PUC e produção editorial na UFRJ. Zerei em física na prova da UFRJ e não entrei no curso que mais queria. Fiz letras na UFF por dois meses e desisti por qualquer desses motivos bobos que te fazem desistir das coisas aos dezoito anos. Aos prantos, fui me inscrever na PUC com a certeza de que eu era uma perdedora. Fiz jornalismo porque eu "escrevia bem" e na minha época isso era suficiente para você escolher um curso que ia durar, com sorte, quatro anos da sua vida. No meu caso, quatro anos e meio.

No segundo semestre eu ia todo dia à salinha onde as pessoas vão para trancar a faculdade. Colocava a mão na maçaneta e saía correndo, porque desistir também é coisa de perdedores e eu já tinha desistido de muitas coisas até ali. Passei a faculdade suportando as aulas da forma que podia, rezando para que acabasse aquilo tudo e minha vida começasse logo. Acabou e eu emoldurei meu diploma, que está graciosamente pendurado na minha parede.

Mas deve ter sido bom fazer a faculdade de jornalismo, porque isso te ajudou muito na sua comunicação e na hora de interagir com uma câmera e falar sobre os assuntos que você fala nos seus vídeos, não é mesmo?, os jornalistas me perguntam. Não. Minha comunicação é a mesma desde que nasci. Interagir com a câmera, eu só aprendi fazendo os vídeos, e os temas eu escolho à medida que vou vivendo a vida. Mas conheci Caio e Buanna, e talvez esses tenham sido os únicos lucros desses quatro anos. E meio.

A crise, no entanto, não está aí. Quando as pessoas me perguntam que faculdade eu faria se pudesse voltar no tempo, ainda não sei o que responder. Não consigo ver nenhuma combinação de aulas nos cursos existentes que me interesse. Não tem uma única formação no currículo de qualquer faculdade que converse com alguma das minhas "habilidades". E é nesse momento que surge a pior das perguntas, a mais assustadora, a que mais me aterrorizou ao longo dos anos e a que mais me faço até hoje: como vou procurar algo se eu não sei o que quero achar? Mesmo sabendo o que gosto de fazer e tendo experimentado algumas possíveis carreiras ao longo desses anos, ainda não tenho ideia de que faculdade cursaria. Estou sete anos mais experiente do que a Julia de dezoito e continuo sem saber escolher uma faculdade. Cinema? De jeito nenhum. Talvez filosofia, só para pensar nuns troços maneiros. Psicologia: cruz-credo. E com mais cinco ou seis exemplos, acabaram-se as possibilidades.

Assim passei quatro anos e meio fazendo um curso supercompleto, que acrescenta muito e que é importantíssimo para a sociedade, só que nada tinha a ver comigo. Mas pelo menos eu tenho um diploma. Só não dá para vê-lo agora porque está coberto de poeira.

A CRISE DA AUSÊNCIA DE TALENTOS

Meu amigo Rodrigo é muito bom em tocar bateria, conhecer músicas, fazer batidas maneiras, essas coisas. Dodô é ótimo em história, ama resolver cálculos, estudar física ou curiosidades do mundo e poderia viver de jogar video game. Arthur é muito bom em lógica, resolver problemas, sabe tudo que está acontecendo no mundo e lê romances russos. Tila é extremamente organizada e metódica, excelente líder, resolve coisas muito bem e tem um incrível senso estético. Luiza sabe estudar como ninguém, conhece tudo, tirou 9,9 em cálculo no Canadá, enquanto fazia medicina, e pode tirar qualquer dúvida sobre qualquer coisa da biologia, além de desenhar e pintar muito bem. Mariana costura, faz colagens e outras artes, compra tecidos e desenha roupas, faz montagens esquisitas e maravilhosas, e tudo isso aos fins de semana, porque durante a semana desenha móveis de luxo para ricaços portugueses.

Daqui de onde estou, parece que todo mundo tem um talento especial. Todos sabem alguma coisa muito bem, destacaram-se em alguma matéria, foram elogiados por professores ou admirados pelos amigos por algum grande feito que conquistaram com a maior naturalidade. Sempre que fui elogiada por algum professor na faculdade de jornalismo, foi por uma matéria inventada. "Nossa, que aspas boas você conseguiu!" (inventadas). "Nossa que sonora excelente!" (inventada). Numa faculdade em que a verdade é valorizada acima de tudo, que triste é a pessoa que constrói um CR 9* à base de notícias inventadas em uma poltrona confortável, no ar-condicionado, enquanto os colegas de profissão vão até o Saara conseguir depoimentos de pessoas que de fato existem.

A questão é que, enquanto todo mundo parecia ter uma verdadeira vocação, ou pelo menos alguma

---

*CR é o coeficiente de rendimento, ou seja, a sua média final de cada período na faculdade. Um CR 9 é altíssimo, uma bênção divina.

facilidade para alguma coisa, eu me via em frente a um computador assistindo séries sem fim para esquecer o fato de que eu não tinha vocações. Não tinha talentos. Não tinha nada que eu fizesse melhor que outras pessoas. Pelo menos nada que pudesse ser traduzido em emprego. Eu era uma boa amiga. Eu dava uns conselhos esquisitos que as pessoas adoravam. Eu fazia as pessoas ficarem felizinhas. Que profissão é possível com essas habilidades? Como colocar isso em um currículo? Onde encontrar uma empresa que esteja em busca de uma boa amiga? Crise.

Já passei dias sentada na frente do computador com o currículo bonitinho na minha frente, louca para arranjar um emprego. Mas para onde mandar? Eu perguntava a uns amigos se eles poderiam ficar de olho em alguma vaga para mim e eles me perguntavam: "Mas que área você quer?". Não faço *a menor* ideia. Quanto mais procurava empregos, mais assistia a séries.

Quando você não sabe juntar qualidades fora do padrão com um emprego formal, essa procura pode se tornar bem frustrante. Você vai descobrindo que os talentos de uma pessoa nem sempre se resumem a ser bom em cálculo, ter boa memória ou desenhar bem. Às vezes você é muito bom em ser gentil, em observar as coisas, em seguir sua intuição. Às vezes você é bom em coisas que não cabem em um currículo. Todo emprego que consegui até hoje foi por meio de cartas, entrevistas, conversas e cafezinhos. Nunca cheguei nem perto de passar em um processo seletivo de trainee. Inclusive, que preguiça desses processos. Um monte de gente numa gincana ridícula de adultos tentando derrotar o amigo ao lado com um sorriso dissimulado no rosto e fingindo ter qualidades que alguém falou que seriam bem avaliadas por aquela empresa. Todas as pessoas que me contrataram na vida nem olharam meu currículo. Eu nunca fui chamada por causa da minha incrível qualificação profissional, meus diplomas e referências. Eu era chamada depois de um bate-papo descontraído do qual a pessoa saía pensando *ah, vai ser divertido ter essa menina pelo escritório.* É lógico que isso sempre resultava em eu sair do emprego meses depois, porque não tinha qualificação ou paciência para o trabalho. Mas acabei resolvendo esse probleminha ao criar meu próprio emprego: ser uma boa amiga, que dá conselhos esquisitos e faz as pessoas felizinhas. Com vídeos. Na internet.

A CRISE DE NÃO CURTIR O PARAÍSO EM PAZ

Quando Caio e eu saímos pela primeira vez, eu o chamei para viajar comigo para Paraty. Na semana seguinte aconteceria a Flip, eu já ia mesmo, por que não ir acompanhada de um sujeito com quem me relacionava havia uma semana? Fomos. Passamos os dias inteirinhos andando pelas ruas de Paraty, comprando livros que nunca leríamos, tomando uma cervejinha com peixe frito na beira da praia, o de sempre. Como em toda boa festa literária, o curador da Flip chamava alguns autores para discutir assuntos enquanto nós, abençoados, ficávamos lá, pulando de mesa em mesa, variando entre a tenda dos autores, onde os autores sentavam para debater algum tema incrível, e a mesa do telão, em que você fica assistindo a um debate incrível num telão. Além disso, nesse ano tinha uma ação de algum banco que espalhou redes pela cidade toda, então volta e meia a gente caía em uma ou outra para tirar uma sonequinha depois do almoço, depois de alguma mesa, depois de uma outra soneca.

Em poucas palavras, a gente passava o dia conversando, comendo, bebendo, nos entretendo, dormindo e comprando. Um sonho, se desconsiderarmos que isso era no último ano de faculdade e estávamos desempregados, sem assunto a ser abordado na monografia e sem noção do que faríamos uma vez formados. No meio dessa angústia, que lutávamos para soterrar no mais profundo buraco da nossa mente, um rapaz que fazia faculdade com a gente me aparece andando pelas ruas de Paraty com um sorriso imenso no rosto e um crachá que gritava "trabalho n'*O Globo* e vim a trabalho para a Flip entrevistar os autores que vocês veem na tenda do telão e não podem tocar".

Diante disso concluímos que, uma semana depois do nosso primeiro beijo, Caio já estava na função de viver minhas crises e dar um suporte que, mal sabia ele, teria que dar pelos próximos dois anos e meio de sua vida (até agora). Eu fiquei mal, só queria voltar e começar a procurar emprego, estudar mais, retomar o tempo perdido, ser senhora do meu destino, definir e começar a escrever uma monografia que fizesse alguma diferença no mundo e, principalmente, arranjar um crachá que também gritasse algo muito maneiro e classudo. O rapaz, coitado, que nada tinha feito de errado, não fazia ideia do estrago que sua presença por cinco minutos tinha causado na nossa vida. Nossas sonecas na rede já não eram tão agradáveis. Eu sentia uma culpa sem fim de ver um coleguinha de classe, que provavelmente já tinha até terminado a monografia, ali trabalhando, enquanto eu ficava de bundalelê pela cidade fazendo tatuagem de hena. Se eu tivesse feito um tererê, talvez a sensação de derrota triplicasse.

Esse é o tipo de crise estúpida de se ter. Eu estava num lugar ótimo, com uma companhia ótima, vivendo coisas ótimas e um pequenino acontecimento, a respeito do qual eu não podia fazer absolutamente nada naquele momento, me fez quase não aproveitar todo esse paraíso. Quase, porque você não fica numa crise idiota dessas por muito tempo tendo uma barraquinha de tatuagem de hena por perto.

A CRISE DO ESCRITÓRIO

Eu queria desesperadamente trabalhar em uma editora. No primeiro ano do ensino médio fiz uma orientação vocacional daquelas que você desenha sua casa de infância. Coisa séria. Um dia a psicóloga me chega com uma revista de profissões para mostrar um grande achado que tinha tudo a ver com minha performance nas orientações: produção editorial, também conhecida como "trabalhar fazendo livros", que na minha imaginação virou "ser paga para ler". Eu nunca pensei que existiam pessoas que faziam os livros. Fiquei fascinada com a sugestão.

Imediatamente fui checar todas as faculdades que ofereciam esse curso do qual eu nunca tinha ouvido falar e nem imaginava que existia. Achei em uma única: UFRJ. Finalmente, um rumo na minha vida! Eu não fazia a menor ideia do que queria fazer, apesar de ter dezesseis anos, que, claro, é uma idade supermadura para você tomar decisões sobre sua profissão. Por incrível que pareça, fui uma das primeiras a decidir de verdade o que queria fazer. Eu tinha *certeza*. Já podia imaginar minha rotina. Acordar cedo com a luz do sol entrando pela janela, sair da minha cama imensa com lençóis brancos de bilhões de fios egípcios, tomar um café da manhã leve na minha cozinha aberta para a sala, com louças impecáveis, pegar minha bicicleta, ir para o trabalho, usar óculos de grau, ler livros, discutir títulos e voltar para casa de bicicleta, com o sol ainda no céu, ver umas séries, receber amigos, tomar vinho, dormir, e logo ver o sol de novo. Eu passava horas imaginando isso. Horas e horas. Eu ficava mais tempo vivendo essa fantasia do que estudando de fato. Um erro crasso, já que não passei na única faculdade que eu de fato queria.

Chorei em todos os cômodos da minha casa, em posições diferentes, fazendo atividades diferentes. Até que parei de chorar e me inscrevi em jornalismo na PUC, porque ninguém tem tempo para mais um ano de cursinho. Mas meu sonho não havia acabado. Entrei na faculdade já de olho na Editora PUC, que fazia uns livros acadêmicos.

No segundo semestre já estava lá dentro, estagiando depois de implorar por uma vaga e fazer um teste com outras pessoas que nem sabiam que teste era aquele, só queriam um estágio-em-qualquer-lugar-pelo-amor-de-deus.

Uma vez lá dentro, comecei a procurar editoras do mundo real que eu admirava para enfim trabalhar do jeito que minha imaginação havia prometido. Lembrei de um livro que eu amava e fui checar de onde era. Coincidentemente a editora ficava *ao lado* da minha faculdade. Deus. O nome disso é Deus. Quase enlouqueci de frio na barriga. Quando me dei conta de que estava ao lado de uma editora do mundo real que eu admirava horrores, quase vomitei. Mas em vez disso saí feito uma enlouquecida fazendo meu currículo para mandar para eles. Depois de três segundos, terminei o currículo. Ele incluía: três provas de Cambridge, alguns meses de estágio na Editora PUC-Rio, uma diagramação muito bonita feita no Word.

Esse é exatamente o tipo de currículo que você engaveta para nunca mais olhar, a não ser para anotar um telefone quando acaba o Post-it, pensei. Comecei, então, a escrever a seguinte carta com motivos para eles me contratarem:

Desde que li um livro de vocês, criei uma enorme simpatia pela editora. Quando leio um livro — qualquer livro — não reparo apenas na história. Sempre prestei atenção aos detalhes, às páginas, à numeração, ao formato, à letra etc. Hoje fico ainda mais interessada, já que trabalho em duas editoras — uma formalmente, outra não — e vivo em busca de espaços duplos, linhas viúvas, erros de toda sorte.

Quando me perguntavam o que eu queria ser quando crescesse, nunca tinha muita certeza. Alguns anos antes do vestibular, quando fiz um trabalho de orientação vocacional, tive que procurar o que estava sempre presente e o que me dava prazer invariavelmente. "Livros" foi a resposta. Até então não havia pensado neles como algo feito por seres humanos. Para mim eles simplesmente surgiam nas livrarias. Não havia uma história anterior. Quando soube que existia a possibilidade de trabalhar em uma editora, rodeada de livros, entrei em alfa.

Com a minha pequena, mas ainda assim válida experiência de vida, posso ressaltar alguns pontos que acho úteis em uma editora:

1. Já trabalhei na parte administrativa de um salão de beleza, o que me obrigou a exercitar meu senso de organização, que tenho de longa data, e mais importante, tive que lidar constantemente com clientes. Não apenas clientes: mulheres apressadas, agoniadas, irritadas,

esbaforidas, impacientes, pedantes, simplórias, autoritárias, reservadas, entre outras. Ao chegar à editora PUC-Rio, percebi o quanto mulheres que frequentam salões e autores são parecidos e quanto jeito e paciência se deve ter com eles. Para isso já estou treinada.

2. Estudei treze anos de inglês e passei dois meses na Irlanda exercitando-o. Tenho diversos certificados de Cambridge que garantem o quão fluente sou na língua. Sempre assisti muitos seriados e com isso aprendi cada vez mais expressões e formas de linguagem que não se ensinam tanto em cursos de inglês.

3. Leio desde pequena e é uma das coisas que mais gosto de fazer. Já trabalhei com pessoas que amavam o que faziam e outras que odiavam, e posso garantir o quanto os ambientes de trabalho mudam de um caso para o outro. Eu adoraria fazer parte dessa editora, não só pelo prazer de estar onde sei que quero, mas também pela identificação imediata com o estilo de vocês. Sempre achei muito importante o quesito "confortabilidade" do lugar. Quando me sinto confortável com um livro, com um espaço físico, em geral, logo me identifico. E foi isso que aconteceu. Gosto do conceito da editora, dos livros, da escolha de temas e até o site me atraiu!

4. Trabalho diariamente em uma editora acadêmica, onde aprendi a seguir um padrão de perfeição que só um

livro de estudos pode exigir. Nada pode escapar, senão os professores enlouquecem. Já revisei, fiz releases, pedi fichas catalográficas, arrumei estoque, fiz consignação, lidei com autores, fiz entrevistas, peguei cafezinho para o chefe... É uma experiência excelente no campo editorial, mas sempre sonhei em trabalhar com outro tipo de livros. Livros sem fórmulas, mas que ensinem coisas que eu julgo mais importantes do que leis e pesquisas religiosas. Já aprendi muito com os livros que li. Aprendi como sou, como não sou. Aprendi como me expressar não só textualmente, como verbalmente. Enfim, gostaria de fazer parte de uma editora que possibilita a disseminação desses ensinamentos.

5. Já fiz a diagramação de um livro no InDesign, dei palpites na capa, revisei, selecionei textos para projetos e concursos, escrevi um conto, entrei em contato com autores que acabaram me dando seus textos para eu avaliar etc.

6. Pessoalmente, não sei me avaliar tão bem, mas pelo que escutei falar de mim a vida inteira posso fazer umas tentativas. Sempre me disseram que sou essencialmente feliz, e passo isso adiante. Deixo uma pessoa, que estava cabisbaixa, feliz da vida em minutos. Sei ser séria quando necessário, mas nem sempre o é. Tenho um jeito original de ser que nem sempre me ajuda nas situações em que preciso (como esta), mas se eu mandasse

apenas um currículo em tópicos, sem tentar por outros meios, não estaria sendo totalmente fiel a mim mesma. Não costumo me meter onde não sou chamada e passo longe de brigas, mesmo as necessárias. Quando fico nervosa ou chateada com alguém, basta uma noite de sono para tudo ser esquecido sem mágoas guardadas. Nas entrevistas tento sempre me podar para não parecer muito fora da linha-padrão, mas descobri que para trabalhar forçando uma personalidade, é melhor nem se candidatar. Espero que gostem do que eu tenho a oferecer.

7. Estudo na PUC e ano que vem começarei o quarto período. Vou fazer matérias de jornalismo e de letras para seguir o caminho editorial. Estudarei de manhã, o que significa que à uma da tarde estarei livre como um pássaro, sem chances de atraso, já que estudo na mesma rua da editora.

8. Nasci no dia 14 de março: dia do vendedor de livros!

Eu realmente adoraria trabalhar aí e estou às ordens para qualquer ligação, e-mail, entrevista... Peço que considerem meu caso e me avisem qualquer decisão.

Obrigada pela paciência!

A resposta:

Ola Julia,

Para comecar desculpe a falta de acentos e caixa altas e baixa (isso para um editor e o fim...), mas estou na Feira de Frankfurt, meu laptop nao esta nada catolico hoje, e os teclados alemaes sao infernais! adorei seu cv, sua apresentacao e gostaria de conhece-la. estarei fora ate o final do mes, e retorno dia 1 nov. por favor mande uma msg depois do dia 2 nov para marcarmos um papo, ok?

Eu fui lá, bati um papo e logo me chamaram para conversar com o dono da editora que me disse "nós não temos uma vaga para estágio, mas como você mostrou muito interesse e como queremos gente que ame essa empresa trabalhando aqui, vamos abrir uma vaguinha para você".

Pronto.

Eu estava dentro.

E dentro fiquei por quase dois anos. Depois de nove meses de estágio, fui contratada, passei a morar perto do trabalho, comecei a fazer remo (e parei na semana seguinte porque minha lombar não aguentava tamanho esforço), mudei minha vida completamente. E isso durou uns bons seis meses. Até que um dia me dei conta de que eu não podia trabalhar mais ali.

A crise teve dois momentos. O primeiro começou quando passei a observar algumas das minhas *coworkers* que, apesar de amarem muito o trabalho que faziam ali, passavam grande parte do tempo vendo fotos de alguma amiga que tinha conhecido algum rapaz bem rico e bem europeu e que agora vivia na Finlândia num vilarejo. Ou outra, que resolveu largar tudo e viajar pelo mundo com alguma outra amiga e as duas conheceram algum europeu também, e no fim tudo acabava com pessoas no Facebook muito bem de vida em algum país da Europa, casadas. E elas se desconcentravam um pouquinho do trabalho, viam essas histórias acontecendo, e depois de um tempo todo mundo ia fechando as abas das aventuras, abrindo as abas dos dicionários e lentamente voltavam a revisar seus livros. Eu vi isso acontecer incontáveis vezes. E eu passava exatamente pelo mesmo processo. O negócio é que eu ficava tempo demais na parte "procurar vidas mais aventureiras que a minha".

No segundo, minha crise evoluiu com a constatação de que eu passava o dia todo lendo. Exatamente o que eu queria quando fiz o teste vocacional. Mas aquilo que eu achava que era o bastante aos dezesseis anos já não era tão atraente aos vinte. Eu não tinha nenhum contato com o sol, o que parece uma grande frescura, mas quando você começa a ter uma rotina que inclui sentir as horas passando a partir da observação do céu, dá para ver a diferença que faz. Tem uma galera de escritório com deficiência séria de vitamina D pelo mundo. Eu comecei a descer algumas vezes para comer empada, só para dar uma pausinha rápida. Depois eu comecei a descer muitas vezes. Sabe aquele "estou morrendo de fome, preciso de um lanchinho"? Eu morria de fome o tempo inteiro e minha fome jamais era saciada. E fiquei meio anêmica também de tanto comer empada.

Comecei então uma rodada de conversas com amigos e teve uma em particular que me deu um clique maravilhoso. Essa conversa foi com Arthur.* Eu estava reclamando da minha acomodação, do fato de que tinha vinte anos e me sentia uma senhora, que não tinha para onde crescer, que tinha uma rotina mais definida do que eu queria e todos esses exageros que a gente comete quando tem vinte anos e está prestes a mudar de ideia, e então Arthur diz a célebre frase que ficou latejando na minha cabeça por anos: "Você não está acomodada, você está incomodada".

Eu não sei por quê, mas fiquei tão leve quando Arthur me informou que eu estava incomodada. Parecia

---

* Falei Arthur como se todo mundo conhecesse Arthur. Arthur foi o meu primeiro melhor amigo. É um rapaz muito sábio, gosta de objetos amarelos, vai sozinho a shows, come salada sem a necessidade de temperos, usa tampão de ouvido no ônibus porque às vezes é melhor o silêncio, e um dia terá uma fazenda onde vai cultivar uma horta — mas por ora é engenheiro.

que tinha achado meu lugar entre meus irmãos de geração. Eu não podia ter vinte e poucos anos e já ter uma vida toda traçada desse jeito. Precisava das aventuras que as amigas das minhas amigas estavam vivendo. Meus amigos me apoiaram, meus familiares me apoiaram, até algumas amigas do trabalho me apoiaram e confessaram secretamente que queriam fazer o mesmo. Decidi largar tudo, como boa garotinha mimada que sou, e me libertei daquela vida de salário todo mês, plano de saúde e vale-refeição. Uma vida segura, quem precisa disso? *Irc! Irc!* Peguei minhas coisas e marchei de cabeça erguida para Niterói e toda a segurança de ter tomado uma decisão tão séria durou exatos dois dias. No terceiro eu já estava desesperada porque não tinha ideia do que queria fazer da minha vida. De novo.

A CRISE DO MEDO DA POSSIBILIDADE DE UM ESTUPRO

Desde que me lembro, meu maior medo na vida é ser estuprada. Se somarmos o tempo que já me dediquei a pensar nisso poderemos concluir que já perdi algumas semanas da minha vida para nada. E tudo piora quando penso que a lei da atração está aí solta, dominando nosso destino. Então quando penso nisso, logo acho que estou atraindo, porque estou pensando demais nisso, aí tento não pensar, mas fico pensando em não pensar e em não atrair, e só penso mais e atraio mais. Ou não atraio nada, vai saber. Não se pode brincar com *best-sellers*.

Mas enfim, lá estava eu, recém-formada em jornalismo, querendo fazer qualquer coisa menos ser uma jornalista, tentando listar minhas qualidades e talentos (o que já nos leva a outra crise) para ver em que tipo de profissão dava para me encaixar. Entrava em sites de emprego, cadastrava currículos, checava os grupos de vagas para comunicação no Facebook onde o maior salário contava 1500 reais. Cada aba do navegador me deprimia mais que a outra. Em trinta minutos de decepções, eu fatalmente acabava caindo em uma outra aba, que lia Netflix, e lá eu ficava, por horas a fio, assistindo coisas para me recuperar do desastre que era minha vida profissional.

Eis que Caio, meu namorado amado, começa uma moda de querer fazer design. Ele também recém-formado, mas em cinema, estava passando pela mesma rotina desgostosa que eu. Começou a pesquisar uns cursos em Nova York, porque ele sempre começa tudo por Nova York, e acabou caindo em um curso no centro do Rio. Além de design, também estava disponível o curso de redação publicitária. Pensei *hum, interessante, eu escrevo bem e sou criativa, logo devo fazer redação publicitária*. Eu devia ter lembrado que usei essa mesma lógica falha ao fazer jornalismo. A gente cresce e continua tomando decisões sem sentido. Acabou que Caio não entrou no curso de design e eu fui lá me inscrever em uma nova rotina: sair todo dia de casa às seis da tarde, andar por vinte minutos até o catamarã (o que era até bonito porque o sol estava começando a se pôr e o visual fazia a caminhada se prolongar por mais dez minutos, contando as paradas para observar o horizonte), depois dezenove minutos no mar conversando com alguém no WhatsApp e um minuto me despedindo porque eu teria que andar pelo centro e não se pode fazer isso com o celular na mão, dez minutos de caminhada da Praça XV até o curso, com o celular enterrado na bolsa, escondido com a carteira no mais profundo dos bolsos, três horas de aulas que me custavam 2 mil reais e me faziam chorar lágrimas de sangue de tão nada a ver comigo e, por fim, sair da aula *dez e meia da madrugada* e fazer uma caminhada de cinco minutos no escuro e sozinha até o ponto de ônibus, onde eu ficava por mais uns quinze minutos esperando o ônibus chegar. No escuro. Sozinha. No centro do Rio de Janeiro. Sim, o lugar onde as pessoas são regularmente esfaqueadas. Às vezes tinha um rapaz ou outro que podia me acompanhar, o que me trazia alívio — e ódio de ter que depender de um rapaz para sentir alívio.

O pior disso tudo não era o fato de que mais uma vez eu estava deixando minha vida escorrer com algo que não me completava em nada. A pior parte era que eu sou de fato extremamente criativa. Isso significa que eu passava o meu dia inteiro pensando em como eu seria encurralada em um beco escuro, e como eu faria para impedir meu estupro, como eu ligaria para Caio e para os meus pais, como avisaria as autoridades, como eu ia conseguir transar de novo alguma vez na vida caso o pior acontecesse, se o sujeito seria esquisito com padrões estranhos para violentar uma mulher, se eu ia pegar doenças, e que doenças, e como curá-las, o que eu poderia falar na hora que pudesse mudar a cabeça do sujeito, que outras coisas eu poderia dar para ele, se eu deveria lutar contra ou ficar lá inerte, se ele me mataria depois, e se me matasse, o que seria de Caio, que tanto me incentivou a fazer o curso, imaginava a culpa que ele ia sentir, será que ia conseguir namorar alguém de novo? Como ele ia superar esse trauma? E minha mãe? E meu pai! O que eu deixaria de viver se morresse naquele momento, o que meus amigos falariam? As pessoas chorariam? O cara ia ser preso? Qual seria o passado desse cara? Por que ele faria isso com alguém? Que tipo de pessoa faz isso com alguém?

Ou seja, ficou impossível continuar no curso. Na mesma época em que comecei a estudar de novo, comecei a fazer os vídeos. Eu não conseguia entregar nenhum trabalho direito porque estava sempre muito ocupada gravando coisas esquisitas para vinte pessoas assistirem no YouTube. E nessa época eu me recusava a desistir de mais uma coisa porque passei a vida toda me animando demais para fazer algo e sempre desistindo dois segundos depois. Não queria mais repetir esse padrão. Coisa de gente infantil, mimada, ridícula. Mas depois de alguns meses de já saber exatamente como aconteceria toda e qualquer fatalidade comigo no centro do Rio, percebi que era muito mais legal e barato fazer vídeos do que gastar 2 mil reais por mês para imaginar meu estupro — e, é claro, para fingir mais uma vez que ser criativa e gostar de escrever eram boas justificativas para fazer mais um curso do qual eu não gostava.

A CRISE DA CRISE QUE EU NÃO SABIA QUE ESTAVA ALI

Quando eu fiz dez anos, começou a trabalhar lá em casa um moço que ficou com a gente por quase quinze anos. Ele era muito eficiente, ajudava em tudo, uma mão na roda. Certa vez, quando estava voltando da escola, ele me perguntou se eu não ia usar mais aquele shortinho que tinha usado para uma aula de educação física. Minha resposta imediata foi gritar o mais alto que pude feito uma enlouquecida. Ele nunca mais fez um comentário do tipo. Eu devia ter uns treze anos na época e já notava quando ele olhava demais para a bunda das minhas amigas, e já tinha maturidade o bastante para aquilo me causar incômodo. Eu ficava com raiva e reclamava com meus pais, mas ouvia que homens são assim e é bom que seu irmão tenha uma referência masculina forte dessas. Eu discordava, mas era muito nova para ser levada a sério. Eu pedia para ele ser demitido, falava que não queria mais ele trabalhando lá e era repreendida porque estava sendo mimada por abusar do meu poder para demitir um trabalhador.

Quanto mais tempo passava, mais abusado ele ficava. Teve dias em que ele dormia no sofá lá de casa e eu chegava na sala para encontrar um cara de barraca armada e voltar correndo para o quarto. Não era intencional, ele estava dormindo. Teve dias que ouvi com detalhes algo sobre suas transas e lembro especialmente da vez em que ele comeu uma mulher atrás do barraco dela e que a casa chegou a tremer. O pai dela ficou chateado, ele disse. Eu ri, sem graça.

Já com vinte e poucos anos na cara, mais uma vez estava reclamando com meu pai da presença incômoda daquele homem em nossas vidas. Ele falou que era bobagem minha e que ficava tranquilo em saber que tínhamos alguém para nos proteger, alguém que daria a vida por nós. Eu ri, sem saber que outra reação ter, e falei que não me sentia muito protegida com um cara que ficava tendo ereções na sala de casa. Meu pai riu, sem saber que outra reação ter.

Uma semana depois o homem foi demitido e eu comentei sobre isso na análise meio que no meio de outra história mais importante. Meu analista me pediu para dar mais detalhes sobre esse homem e eu contei algumas dessas histórias.

— Julia, por que nunca falamos desse cara?, ele quis saber.

Eu não sabia o que responder. Para mim ele não era importante, só um sujeito que me incomodava há catorze anos. Mas nada que merecesse tomar minutos da minha sessão. Eu insisti que não era uma questão para mim, que eu realmente cagava para isso e que só estava feliz que não tinha mais aquela sombra na minha vida, e, com mais cinco minutos de papo, fui me dar conta de que ele surgiu na minha vida na fase em que comecei a desenvolver minha sexualidade e que, apesar de ele nunca ter tocado um dedo em mim, aquela figura estava lá, o tempo todo, morando na minha casa, olhando a bunda das minhas amigas, influenciando no caráter do meu irmão mais novo. Talvez não fosse tão desimportante assim, mas tem umas crises que você nem se dá conta de que são crises até alguém falar "não, isso não é o.k.". O analista deu a sugestão de dedicar algumas sessões a esse sujeito. Eu aceitei.

A CRISE DA MINHA AMIGA

Tenho uma amiga chamada Luiza. Ela é a pessoa mais inteligente que conheço, eu acho. E como toda pessoa muito inteligente, ela tem muitas crises. Porque basta você pensar um pouquinho nas coisas da vida para nascer uma crisezinha na sua cabeça. Além de ser inteligente, Luiza também dirige, e um dia estava voltando da faculdade de carro em meio a uma crise. Como todo bom jovem, ela não sabia o que queria fazer da vida, e esse não saber o que a esperava era extremamente irritante, ainda mais naquele trânsito do Rio de Janeiro que faz você querer viver do que planta em uma fazenda no interior da Bahia.

Mas ela não estava numa fazenda. Ela estava sozinha no trânsito pensando em como ela era incapaz de imaginar algo que gostaria de fazer, em como ela queria descobrir logo e em como ela não queria estar onde estava. Porque afinal o Rio de Janeiro é uma gracinha, mas às vezes dá um ranço. Violência sem fim, trânsito sem fim, desigualdade sem fim, corrupção sem fim, malandragem escrota sem fim. Você pensa em fugir, fazer um Ciências sem Fronteiras ali na Europa rapidinho, depois lembra que o Brasil não é a desgraça e que a Europa não é a salvação divina em forma de continente, e se sente mal de ter considerado abandonar seu país em vez de tentar melhorá-lo e aproveitar tudo que ele tem de maravilhoso. Depois fica com preguiça e desiste de tudo de novo, aí o sinal abre e os carros buzinam feito loucos, como se isso desatasse o nó do engarrafamento, e continuam não andando.

Luiza se encontrava nessa situação "de odeio não saber o que quero ser quando crescer, odeio não saber o que está reservado para mim no futuro". A gente tem essa impressão às vezes de que tem uma hora que a gente vai crescer. Tipo um dia, com hora marcada na agenda. Sexta que vem eu cresço. Quando na verdade a gente já cresceu faz tempo, mas é tão insuportável crescer, que a gente fica jogando lá para a frente. "Quando eu acabar a faculdade", "quando eu acabar a minha pós", "quando eu acabar o mestrado", e quando você vê, está com sessenta anos e nada de se sentir adulto. Você quer que sua vida comece logo, quando na verdade ela já começou há mais de vinte anos.

No meio de todos esses pensamentos e cobranças, Luiza já estava inquieta, com os nervos à flor da pele, a crise se aproximava. Incertezas, inseguranças, medos; estava toda bagunçada, coitada. Foi quando acabou uma música qualquer que ela estava ouvindo na rádio e entrou uma propaganda de algum seguro de carro, de vida, ou sei lá o quê. A propaganda fechava com a seguinte frase: "A vida é imprevisível. E isso é muito bom". Luiza começa a chorar.

— Isso não é muito bom! Quero saber o que vai acontecer! Vou arranjar um emprego que eu gosto? Vou ter uma família linda, ser rica, viajar sempre, ter casa na Itália? Vou largar tudo e morar no campo? Vou depender dos meus pais para sempre? Vou ficar sozinha? Vou morrer esfaqueada na rua? Alguém me adianta o que vai acontecer comigo!

E então um moço bate na janela. Luiza, querendo poupá-lo da sua cara vermelha e encharcada, só faz um nãozinho com a mão para indicar ao sujeito que não quer nada que ele possivelmente esteja tentando vender para ela no meio do trânsito. Ele continua batendo na janela, e ela escuta um:

— Só o celular! Passa só o celular.

Ela então olha para ele muito confusa, ainda muito vermelha, nariz escorrendo, lágrimas por todo lado, o desespero de uma mulher em crise estampado na cara inteira. O moço, muito cortês, percebe que talvez esteja sendo um pouco inconveniente tentando roubá-la naquele momento, lança um "deixa pra lá" e se retira.

E é quando você percebe que, às vezes, umas crises nos livram de outras. Amém.

A CRISE DE TER UM EMPREGO ESQUISITO

Ter um emprego esquisito é ótimo. Ninguém sabe muito bem como funciona, ficam todos sempre muito curiosos e impressionados admirando você por ter conseguido contornar o sistema. Ao mesmo tempo, ninguém entende que apesar do seu trabalho ser esquisito, ele é muito real, e geralmente exige mais de você do que um trabalho de escritório. É comum alguém te ver escrevendo seu livro deitada na cama com o computador no colo e presumir que é o.k. te interromper para contar uma história, porque afinal você está em casa de pijama. Ou te ver gravando um vídeo descabelada e também de pijama e presumir que você pode gravar depois, que pode parar para almoçar que ninguém vai saber, porque é só editar depois. E se você estiver "editando depois" é uma afronta negar uma ida ao cinema porque, teoricamente, você não estaria matando trabalho, já que você faz seu próprio horário e pode "editar depois" depois.

Se já é difícil para quem está em volta saber o que é trabalho, o que é lazer, imagina para você. Tem horas que nem você sabe quando é trabalho e quando é baguncinha. Vou dormir pensando em vídeos, sonho com uma câmera me perseguindo, acordo já lendo uns e-mails que eu deixei para responder no dia seguinte, depois leio um comentário desaforado que me incomoda secretamente durante o resto do dia, olho meus números, emito nota fiscal, respondo mais e-mails, gravo vídeo, edito vídeo, fico insatisfeita, edito mais, coloco comida para as cachorras, vou para um lugar que tenha internet boa para subir o vídeo, volto para casa, respondo mais um tanto de e-mails, recebo umas mensagens de desconhecidos que conseguiram meu celular sei lá como e tento responder todas, vejo uma seriezinha (porque né?), respondo mais alguns e-mails sem conseguir responder nem dez por cento do que entrou no dia e vou dormir já fazendo uma lista mental do que fazer no dia seguinte.

É uma rotina muito louca que muda todos os dias e isso deixa todo mundo que convive com você muito confuso. Algumas pessoas te veem na hora que você fez uma pausa para ver uma seriezinha e presumem que foi isso que você fez o dia todo. Às vezes ver uma seriezinha é o trabalho. Ou senão te veem morrendo de rir gravando um vídeo e imaginam que isso não é trabalho porque trabalho é obrigação e ninguém que está trabalhando se diverte tanto assim. Ou te veem superestressada, porque tem uma hora que tudo isso dá uma sobrecarregada boa, e ficam te perguntando por que você está estressada desse jeito já que largou o trabalho formal e é abençoada por fazer algo de que gosta tanto.

Mas acho que a pior parte de ter um trabalho esquisito é não ser tão fácil achar alguém que faça o que você faz. Não tem um colega de trabalho sempre do lado que entenda tudo que você está passando e com quem você possa falar mal do chefe. Nem chefe tem! Nem falar mal do chefe você pode, porque ele não existe. Ter um trabalho esquisito pode ser muito realizador, admirável e gostoso, mas também pode ser uma atividade extremamente solitária. E tem mais:

Uma vez um amigo disse que o sonho dele era ter um emprego simples, sem muitas emoções, com um chefe agradável, sem subordinados, que tivesse uma carga horária pequena e que nunca precisasse levar trabalho para casa. E aí, quando ele retornasse ao lar, poderia passar o fim do dia vendo filmes, jogando video game, tocando instrumentos que fossem do seu agrado e cozinhando uma comidinha gostosa. Louco, eu pensei. Até porque todos os comerciais da televisão brasileira, novelas, tios, professores e motoristas de ônibus concordam em apenas um ponto: trabalho é algo desagradável que você só faz para ganhar um dinheiro e esperar por férias. E é nosso dever mudar isso.

Agora, isso somos eu e Caio combinando uma viagem:

— Vamos em outubro?

— Outubro não dá, tem aquele evento, depois aquele vídeo com aquela pessoa que já está marcado há um tempo, não dá pra adiar.

— Tem que terminar de escrever o livro também.

— Ah, mas posso escrever viajando.

— Tá maluca? Ou viaja ou escreve livro. Isso já não deu certo da última vez.

— Tem também os vídeos da semana. A gente teria que gravar uns seis vídeos pra engavetar e ir colocando aos poucos.

— Isso, vamos fazer seis vídeos extras então.

E assim Julia e Caio nunca mais viajaram.

Aliás, viajamos para Inglaterra, Estados Unidos, Peru e Portugal. Mas quando você começa a viajar a trabalho você se dá conta da diferença grotesca que há entre trabalho e lazer. Para ilustrar, nada melhor do que uma viagem que fizemos com a Netflix para cobrir um encontro de fãs e o elenco da série *Orange is The New Black*, em Nova York.

Chegamos de manhã e o primeiro dia, que era livre, foi usado para andar pelas ruas procurando diferentes locações que representassem bem a cidade para filmarmos um teaser que imaginamos pouco antes de embarcar lá no Rio. No fim da tarde, minha lombar já me traía. Paramos numa loja de equipamentos para comprar um microfone maneiro, umas luzes, baterias, cartões de memória e voltamos para o hotel. Passamos o resto do dia no hotel; Caio testando o equipamento e eu estirada no chão para pôr a lombar de volta no lugar. No dia seguinte, trabalho, no outro, trabalho e no próximo, trabalho. Tivemos a excelente ideia de prolongar a viagem caso uma parceria que propusemos ao Airbnb vingasse. Vingou. Combinamos de ficar mais três dias numa casa maravilhosa que eles bancariam e, em troca, faríamos um vídeo falando sobre o site. A ideia era muito simples e foi executada em exatamente três dias, os três dias que acreditávamos que seriam usados para fazer o vídeo rapidinho e dar uma longa e sofisticada relaxada em Nova York depois dos quatro dias de trabalho intenso com a Netflix. Aprendemos uma lição ali.

Para fechar: compramos o tal microfone maravilhoso para melhorar o som dos vídeos e voltamos para o Brasil animadíssimos para usá-lo logo. Passei a viagem toda pensando num programa para mixar áudio e vídeo que um sujeito com quem eu havia trabalhado certa vez falou que existia e que era ótimo. Cheguei em casa onze da noite e mandei uma mensagem para ele imediatamente. Falei que tinha voltado de Nova York, que comprei um microfone e que precisava do nome do programa. A resposta dele foi:

— Garota, vai dormir! Já é quase meia-noite! Isso não é hora de trabalhar!

Dia seguinte fui direto para o analista. Tudo muito confuso.

A CRISE DO MEDO DE CRÍTICAS

Eu escrevia. Até que um dia namorei um rapaz que também escrevia e ele pediu para ler alguma coisa que eu havia escrito. Ele leu e, triste, me disse "é a primeira vez que uma namorada escreve melhor do que eu". Parei de escrever imediatamente. Num outro dia, já não namorava mais esse rapaz e sim Caio, e ele me pediu para ler alguma coisa minha. Eu falei "de jeito nenhum" e ele insistiu. Eu estava traumatizada. Depois de repetir esse diálogo algumas vezes, consenti. Botei ele sentado num sofá, amarrei um casaco no seu rosto, deixando apenas os olhinhos de fora, dei o computador e sentei ao lado. O casaco me impedia de ver a expressão facial dele enquanto lia meu texto, essa era minha condição e assim eu estaria livre da possibilidade de saber se ele estava gostando ou não do que lia. Mesmo assim, chorei durante todo o processo, sentada no mesmo sofá. Identificamos então que nesse cenário havia um problema. Começou aí a crise que nos traria até aqui.

Depois desse episódio, decidi que tinha que dar a cara a tapa, receber críticas, não morrer com elas e seguir em frente. Pedi a câmera de Caio emprestada e sentei em frente a ela, falando qualquer coisa sobre qualquer coisa. Para conseguir apertar o botão de filmar, mantive firme o pensamento de que, se ficasse horrível, ninguém precisaria saber que aquilo existiu. Eu poderia gravar, editar e deletar no segundo que achasse horrível. Mas não achei horrível. Achei bom o bastante para colocar no YouTube e mostrar para algumas poucas amigas. Elas também não acharam horrível, e fui mostrando para outras pessoas, que também não acharam horrível. Um dia Marcelo viu meus vídeos e se inscreveu no meu canal. Eu não conhecia Marcelo, mas ele também não achou horrível.

Um dia outras pessoas como Marcelo fizeram o mesmo e eu já não podia amarrar um casaco na cara de cada uma delas para não saber se elas estavam gostando ou não. Aliás, elas faziam exatamente o contrário. Queriam que eu soubesse com precisão o que achavam dos vídeos. Comentavam nos vídeos, marcavam "gostei" ou "não gostei", mandavam mensagens e e-mails longos e detalhados; elas me paravam na rua para dizer tudo que achavam, e depois a gente tirava uma foto para eternizar esse momento.

Um dia uma pessoa ou outra não gostou e eu fiquei triste. Depois outras pessoas não gostaram, e não fiquei triste. Fiquei o.k. Quando fui ver, eu tinha mais de cem vídeos no YouTube e nenhum controle sobre o que milhares de pessoas que os assistiam achavam sobre eles. Melhor que isso: eu sabia que elas viam, eu permitia isso, eu não chorava mais com a reação delas, fosse qual fosse. Eu sabia que algumas iam alcançar o que eu havia tentado dizer, outras não; algumas iam concordar, outras não; umas ficariam felizes, outras indiferentes — e a vida ia seguir para todos nós.

Dois anos depois estou escrevendo um livro para todas essas pessoas lerem. Eu, que não deixei meu namorado ler um texto no meu computador e que, quando deixei, foi com um casaco na cara. Se essa não for uma meta alcançada, não sei o que é. Agora é torcer para não chegar a crise do "tem gente por aí lendo 200 páginas de coisas que eu escrevi".

A CRISE DA POSSÍVEL POLÊMICA DE UMA SIRIRICA

A qualquer momento de qualquer dia da vida inteira vemos pessoas fazendo gestos de uma punheta sendo tocada. Talvez não com essa frequência toda, mas ainda assim supercomum. Um gesto que nos remeta a uma siririca? Não tão comum. E assim começa a história do dia em que me senti uma farsa.

Ilha Grande, domingo, 11 de outubro.

Depois de uma agradável manhã de sol, praia, trilhas, peixe na brasa e câmera GoPro no fundo do mar, eu, Jessica e Debora fomos gravar um vídeo no meu canal sobre o mal compreendido mundo lésbico. As duas fazem parte de um canal superativista, LGBT, feminista, maravilhoso e resolveram passar um fim de semana comigo no Rio (elas são de São Paulo) curtindo um acampamento na praia. Na verdade elas resolveram passar um fim de semana comigo no Rio e eu incluí a parte do acampamento na praia de última hora. De qualquer forma, depois dessa manhã delícia, nós três sentamos na frente da barraca de Jessica e Caio ficou na nossa frente em um banquinho muito mais ou menos nos filmando com o celular. *Roots*.

Começamos a falar sobre questões, costumes, lendas, dúvidas, e toda e qualquer coisa que gire em torno das moças que amam moças. Eis que chegamos no sensível ponto que afeta toda pessoa que gosta de alguém do mesmo gênero que é: a lenda de que essas pessoas se atiram em qualquer ser do mesmo sexo para fazer um sexo gostoso no meio da rua, sendo essa vítima gay ou não. Uma lenda, claro. Debora, uma pessoa mais, digamos assim, esquentada que o normal, começa a perder a paciência — com toda razão, devo acrescentar. Ela mostra toda sua revolta com a suposição de que ela iria se interessar por qualquer mulher que cruzasse seu caminho. No final de seu discurso, fala:

— Você acha que eu vou olhar pra minha mãe e ficar... — insira aqui uma simulação de siririca bem enfática.

Nós rimos por duas horas, eu e Jessica ficamos absurdadas com o quão gráfica Debora conseguiu ser e a admiramos pela facilidade que tem de não se importar. Eu fiz a promessa de que iria colocar aquela cena em câmera lenta na edição e terminamos o vídeo em paz. Foi maravilhoso.

Rio de Janeiro, terça, 13 de outubro.

Atrasada, começo a editar o vídeo que entraria no ar nesse mesmo dia. Havia chegado de viagem no dia anterior após sete horas de uma estrada que demora duas, quando não estamos em um feriado. Acordei, sentei na frente do computador e lá fiquei até terminar o vídeo. Terminei. A melhor parte: a câmera lenta de Debora e sua revolta simulando uma siririca para a mãe. Já estava pronta para colocar no YouTube quando paro para dar mais uma olhada. Dessa vez achei a câmera lenta um pouco polêmica demais. Vi de novo, comecei a ter medo. E de novo, então tive certeza do auê que causaria. Resolvi então gravar essa parte e mandar para Debora dar seu aval, afinal a retaliação recairia sobre ela. Ela morreu de rir e falou "tranquilo", como eu sabia que ela faria. Pedi a opinião de Jessica, e ela disse que se eu não estava perfeitamente à vontade, era melhor não subir o vídeo, porque quando vamos encarar críticas fortes temos que estar muito seguras da desconstrução que vamos fazer. Sábia.

Assim começou nossa discussão de "se fosse uma punheta não existiria essa discussão". E foi então que gritei em caixa-alta para mim mesma "SOU UMA FARSA!". Siririca (tive que parar agora para acrescentar essa palavra no vocabulário do meu computador, que cismou em consertar "siririca" para "Tiririca" e que, aliás, não demonstrou nenhum problema com punheta), mas voltando, siririca é um tabu. Apesar de termos um pedacinho de nós exclusivamente dedicado a sentir prazer, ainda podemos considerar que siririca é um tabu, mulher se tocando é um tabu, Debora mexendo a mão de um lado para o outro na frente da xereca (tive que acrescentar essa palavra também, mas "piroca" passou despercebida) é um tabu. Foi um tabu para mim. Eu, que me considero e sou considerada uma "destabuzadora" das coisas.

Acabou que não usei a câmera lenta, mas de qualquer forma mantive a cena. Cena esta que não incomodou ninguém nos comentários do YouTube, pelo menos. Jamais saberemos se incomodaria caso fosse exibida em câmera lenta, porque na hora me faltou coragem para bancar mais essa "destabuzação". Talvez — e Deus queira que sim — esse tabu só esteja na minha cabeça.

A CRISE DE SER AMADA/ODIADA DEMAIS

Um dia eu estava correndo pelas ruas de Ipanema à noite, sozinha, indo encontrar Caio para ir ao aniversário de alguém, quando escuto um "Jout Jout?" muito inesperado atrás de mim. Virei imediatamente:

— Eu! — e corri para o abraço.

Era uma menina, Maria Cláudia, com o namorado e seu gato, que tinha acabado de cair da janela. Eles estavam voltando do veterinário.

A gente se amou, falei que era minha primeira vez, falamos dos meus vídeos e nos despedimos. Saí correndo ainda mais rápido para contar a Caio que coisa maravilhosa havia acontecido. Cheguei ofegante, aos pulos:

— Caio! Fui reconhecida na rua!

Celebramos horrores aquele dia.

Um tempo se passou, fui fazendo mais vídeos e sendo reconhecida na rua de vez em quando. Ficava toda boba, tirava foto, contava para todo mundo, minha mãe achava o máximo. Reconhecimento! O que todo bom trabalhador quer.

Chega então o vídeo do batom vermelho, mais inscritos no canal, mais amigos no Facebook, mais seguidores no Instagram. E-mails que eu não dava conta de responder, mensagens das mais lindas às mais assustadoras. Todo dia eu derretia de amor por algum e-mail que me dizia que eu estava fazendo alguém muito feliz mundo afora. Nas ruas, cada vez mais selfies. Até que uma menina me viu e me abraçou tremendo dos pés à cabeça. E outra, além de tremer, chorou.

Quando uma pessoa que você não conhece chora ao te encontrar, passam uns pensamentos na sua cabeça. Trata-se de um amor tão intenso que a pessoa *chora*. Esse é um tipo de amor que vicia. Alguém idolatrando você sem ter conversado cinco minutos com você?

Viciante. E para uma pisciana que busca tanto ser amada isso é um prato cheio. Até você deixar sua vaidade de lado um pouquinho e notar que essa pessoa, na verdade, não pode amar você. Ou não pode amar de um jeito confiável. Melhor: não dá para você ficar dependendo desse amor tanto assim.

É claro que eu amo que me amem, e eu amo que amem meu trabalho, mas será que essa pessoa me amaria dessa forma se passasse um fim de semana na serra comigo? Ou ela iria querer me matar? Ou ia ficar indiferente a mim? As pessoas geralmente têm um contato semanal comigo, editado, por não mais do que vinte minutos, e isso basta para despertar amor, ódio ou indiferença. Quando se trata do primeiro caso, é o tipo de sentimento fácil de ganhar e difícil de manter. Uma bolinha fora, uma frase que machuca alguém de alguma forma que você jamais imaginaria transforma aquele amor profundo na mais terrível decepção. Se sua mãe fala uma coisa que você não gosta, você bate a porta e no dia seguinte já ama ela de novo. Se uma *youtuber* que você idolatra magoa você, não tem volta. O que nos traz de volta ao "não dá para depender muito desse amor". E nem do ódio, aliás (essa é a parte boa). Se alguém na internet odeia você, geralmente é porque não gostou da sua orelha ou do seu sotaque ou da sua opinião sobre um assunto. Não dá para confiar nesse ódio também. Às vezes, no fim de semana na serra, essa pessoa ia querer casar com você e ter uma penca de filhos. Vai saber. Como meu analista disse uma vez: "Não importa, você não está nisso para angariar amor". Tapa na cara atrás de tapa na cara.

A CRISE DE "O QUE ACONTECEU COM O GATO DE MARIA CLÁUDIA?"

O gato de Maria Cláudia ficou bem.

A CRISE DAS HISTÓRIAS DO MEU PAI

Meu pai é daqueles pais bem irritantes, pelo simples fato de ser idêntico a mim. Ele não tem paciência nenhuma para coisas que não entende, quer tudo do jeito dele, e consegue ser grosseiro num nível que só eu posso vencer. Igualzinho. Talvez seja isso o que nos deixe tão ligados. Por sermos iguais, acabamos nos cobrando muito e nos irritando muito, mas só porque nos amamos muito e nos entendemos muito. Quando eu era pequena, ele era uma fonte interminável de histórias das mais incríveis, me deixava boquiaberta, incrédula, olhos brilhando. Eu só queria crescer e viver metade das coisas que ele tinha vivido. Nas histórias havia sempre ele se importando muito pouco com o que estava acontecendo, porque ele se garantia, tinha sempre algum perigo envolvido que ele contornava na lábia, alguém muito bêbado que ele precisava levar para casa em segurança, e um ou outro elemento fantástico que deixava tudo mais admirável. Como quando uma macaca que vivia em uma ilha que a gente visitava em Angra e que se apaixonou por ele — talvez pela profusão de pelos espalhados pelo corpo — e ficava desesperada quando via minha mãe dando um beijo nele. Ciúmes de macaca é difícil de vencer.

Mas quando a gente cresce as histórias vão se repetindo, como toda história de pai, e começa a ser mais difícil se manter incrédula, de boca aberta e olhos brilhando. Uma ou outra nova história surge e você retoma aquela admiração, mas no geral você se acostuma com o repertório e o que era incrível passa a ser crível.

Eis que certo dia meu pai começa a contar uma história nova que havia acontecido com um amigo dele. Uma história nova é sempre um grande rebuliço, é hora de prestar ainda mais atenção. Ele contou que o amigo foi assistir *Maria Antonieta* no cinema e notou que no fim do filme ela olhava para trás e dava um sorrisinho. Quando ele viu isso pensou em uma ideia maravilhosa: voltar no cinema num outro dia e esperar por esse momento para gritar: "Maria Antonieta!" e ela virar e dar um sorrisinho para ele, e assim ele fez, no dia seguinte, levando o público às gargalhadas. Uma história excelente. Eu teria morrido de rir, não fosse o detalhe de eu ter contado aquela história para ele. Não tinha acontecido com um amigo dele. Aconteceu com o tio da minha amiga. Eu contei essa história meses antes, talvez anos antes, e ele se apropriou daquilo, sem notar que estava contando para quem contou para ele. Um erro crasso para um contador de histórias como meu pai. O melhor de todos, o que me deixava estupefata toda vez.

Meu mundo caiu.

Eu dei um sorriso daqueles que a boca mostra os dentes e os olhos não acompanham. Não consegui disfarçar minha decepção. Tive que inventar uma desculpa rápida e sair da mesa. Passei por um processo autodestrutivo leve, duvidei de cada anedota contada por ele, quis chorar, quis fazer terapia familiar, minha incredulidade de admiração havia se tornado incredulidade de dúvida. E se na verdade meu pai ficou quieto num quarto lendo sem amigos a vida toda e reproduziu as histórias dos livros para mim? Minha admiração era uma farsa, minha infância foi uma mentira. E se ele não fosse meu pai de verdade? Até onde essa mentira poderia ter ido? Fiz um draminha.

Depois de um tempo, já mais madura e com um equilíbrio emocional mais desenvolvido, me dei conta de que todo mundo faz isso o tempo todo. Eu provavelmente já ouvi tanto uma história que achei que era minha. Ou, às vezes, é mais fácil você falar que aconteceu com você ou com um amigo do que dar os detalhes exatos que tornariam a história supercansativa. É a lei do menor esforço. Decidi então que perdoaria meu pai, porque pais, apesar do que queremos acreditar, são apenas humanos com fraquezas e vulnerabilidades como qualquer um.

Mas não posso deixar de me perguntar vez ou outra se as novas histórias que chegam à mesa do jantar são de fato verdadeiras ou foram ouvidas no rádio. O trauma continua, ainda que leve, não posso negar.

É difícil ser pai. São muitas cobranças.

A CRISE DO IRMÃO MAIS NOVO CRESCIDO

Eu tenho um irmão mais novo. Dez anos mais novo. Por ser um irmão dez anos mais novo, naturalmente ele sempre me teve na mais alta conta, tomando qualquer afirmação minha como verdade absoluta. Posso fechar os olhos e ver a admiração e a credulidade estampadas no rosto dele quando eu lhe contava algo que ele ainda não sabia, mas que devia ser, porque era eu quem estava contando. Todo fato contado era seguido de um "sério?" muito animado e ávido por mais fatos.

Eu amava ser essa irmã. A irmã que guardava a verdade, a sabedoria, os mistérios da vida. A irmã que era admirada por qualquer pequeno feito. Até que um dia a voz do meu irmão ficou grossa, os sovacos se encheram de pelos, a testa foi tomada por espinhas e meu reinado começou a entrar em declive. Quanto mais grossa sua voz ficava, mais baixo ficava o volume da minha em seus ouvidos. Além de pelos em profusão, cheiros esquisitos e oleosidade excessiva, meu irmão começou a ter opiniões. Opiniões sobre os mais diversos assuntos. Opiniões baseadas em coisas que ele leu, que ouviu, que alguém mais sábio do que eu disse. Algum professor, um amigo experiente, algum outro *youtuber*. Não importa de onde viessem as informações, eram sempre mais acuradas que as minhas. Passei então de antiga fonte de sabedoria para mera fonte de argumentos ridículos que deveriam ser desmontados a qualquer custo.

Já não se via mais o brilho nos olhos do meu irmão quando eu falava da rotina das abelhas em uma colmeia ou quando eu falava que um filme era bom ou que uma praia estava meio cheia. Qualquer, repito, *qualquer* coisa que saía da minha boca era imediatamente rechaçada.

— Paulo Manoel, sabia que...

— Sabia.

— Será que quando você joga uma bola...

— Não.

Assim passaram a ser os nossos diálogos.

Lembro tão bem dos meus dez anos que quase consigo não ficar irritadíssima. Lembro muito das minhas certezas, e de como tudo sempre parecia ridículo, e de que nada do que adultos falavam fazia sentido. Era tanta certeza de que eu estava certa a respeito de tudo, que dava até nervoso de ouvir outras pessoas falando. Com meu pai era ridículo. As amizades que ele falou que não faziam sentido na época e que eu gritei aos prantos defendendo acabaram em segundos no ano seguinte. As roupas que eu comprava falando que seriam minhas preferidas nunca seriam usadas, como minha mãe já havia previsto. Mas o que você não espera quando está nessa tenra idade é que um dia você vai crescer e se tornar uma dessas pessoas que você achava que só falavam asneiras. Um dia você vira a pessoa que mais irritava você e se irrita com a pessoa que um dia você foi. Nem sei dizer exatamente onde está a crise e quantas crises são. Mas olha aí essa bagunça.

A CRISE DO GREGORIO

Tem o Gregorio Duvivier. Rapaz influente, subiu na vida, tornou-se um intelectual, foi convidado da Flip, namorou gente culta, tem pé de maconha em casa, escreve bem, faz poesia, aquele pacote todo, né. E tem eu. Eu tenho ele no WhatsApp. De vez em quando a gente fala rapidinho um troço ou outro sobre qualquer coisa que faz sentido na hora e depois acaba. Pronto. Um dia estávamos falando de um assunto qualquer de que já não me lembro, e eu estava numa pausa entre uma crise e outra deste livro aqui. Eu, insegura, comecei a pensar que existia uma possibilidade forte de ele ler o livro. Indo contra tudo o que já trabalhei na análise, fiquei angustiada com esse cenário. *O que Gregorio vai achar desse livro? E se ele não gostar? Certa vez ele falou na internet que me admirava. E se ele não conseguir passar da segunda página e toda essa admiração for embora?* Não é porque nossos pensamentos não fazem sentido que deixamos de pensá-los.

Comecei a reler algumas coisas que já havia escrito e quis chorar. Quis culpar a TPM, mas não era essa época do mês. Pensei então em desistir de tudo, rasgar contratos, deletar arquivos. Foram dois minutos muito difíceis para mim. Falei com a editora — por mensagem de áudio para não haver registro do papelão que eu estava fazendo — e ela me tranquilizou dizendo que esse seria nosso segredo. Sugeriu que talvez eu devesse continuar escrevendo o livro e que tentasse não apagar tudo. Lembrei de quando era mais nova e sonhava em escrever um livro, lembrei que a Julia de dezoito anos estaria se contorcendo de alegria se estivesse no meu lugar, e depois lembrei que, se fosse ético, meu analista provavelmente viraria a mão na minha cara. E, em respeito a ele, segui em frente.

Durante um tempo, eu pensava que tudo que eu produzisse tinha que ganhar um prêmio. Fui descobrir mais tarde que esse pensamento não passa de mais uma forma de você não fazer as coisas, porque, segundo essa lógica, se eu fosse escrever um livro seria para ganhar um Jabuti, virar escritora-revelação, rainha das letras, ganhar cadeira de imortal, ser traduzida para duzentas línguas e ter gente tatuando minhas frases emblemáticas, claro. Que livro, eu te pergunto, suporta essa pressão? Que projeto qualquer da vida suporta essa pressão? Não tem documento do Word que passe da página 3 depois dessas expectativas sem cabimento.

Se hoje você tem em mãos um livro que carrega essa crise, é porque a força da possível decepção de Gregorio, coitado, que nem sabia que estava quase me custando uma quebra de contrato, não conseguiu me inibir. Decidi que ia ter livro, sim, que ele não precisava virar tatuagem em ninguém e que tudo que fiz Caio passar quando teve que ler meu texto com um casaco amarrado na cara era mais forte que isso, e eu não ia deixar esse esforço ter sido em vão. Eu devo mais a ele.

A CRISE DAS MARCAS QUE NÃO ENTENDEM

Depois de uns nove meses de dedicação total ao meu amado canal no YouTube, o povo da publicidade começou a ver em mim uma possibilidade. Eles gostavam do público que eu atingia, da mensagem que eu passava e queriam se associar a ela. Achei ótimo. Além de me divertir fazendo os vídeos e deixar as pessoas felizinhas com eles, eu ainda poderia dar sugestões de marcas que me agradavam e ganhar um dinheiro com isso. Ia ganhar para fazer algo que eu já fazia de graça. O sonho dourado de todo jovem trabalhador.

Selecionei algumas e pensei por dias e dias em cada *merchan* que fiz, e considerei todas as possíveis consequências que traria para mim e para a família Jout Jout. Neguei granas altas, carros, celulares, motos, tudo que no momento não fazia sentido. Se a proposta da ação não me trazia um calor agradável no coração, eu recusava na hora. Se minha intuição falava sim, eu aceitava e ainda cobrava o que fosse justo para todos os envolvidos.

Algumas pessoas do mundo da publicidade não entendiam algumas coisas dessa dinâmica. Não entendiam como eu não tinha um *media kit** para facilitar a vida deles, como eu não tinha uma tabela com meus "preços", como eu não queria aparecer na televisão, independentemente da mensagem, como eu não queria ficar no camarote dos shows de bandas de que eu não gostava, como eu não queria viajar para lugares incríveis para fazer vídeos com os quais não concordava, como eu não queria sentar ao lado de atores famosos para fazer campanhas estranhas e como não queria ir em programas de televisão ser entrevistada por pessoas que não admiro. Como?

---

* *Media kit* é um troço que você faz para mostrar aos clientes das agências como seu canal é maravilhoso e como vale muito a pena investir uma grana nele. É basicamente uma apresentação de slides com dados, números, tabelas de preço e autopropaganda, várias coisas que não são minhas preferidas.

Comecei a ficar balançada com a voz das pessoas ao telefone, que não entendiam minhas motivações e me achavam imatura por não aceitar algumas contrapartidas cruéis, porém necessárias, no mundo da publicidade. Fiquei com medo de soar ingênua, inexperiente, esquisita demais, com medo de eles não quererem fazer nenhum *merchan* comigo ou acharem que o fato de eu não ter um preço significava que eles podiam se aproveitar da minha "bondade". Quando falava que minha intuição me dizia que não seria uma boa, podia ouvir o julgamento silencioso do outro lado. Quantas vezes tive que ouvir algo do tipo: "Ué? Mas você não quer ser famosa?". E quantas vezes tive que pedir para me contarem como eles queriam o vídeo antes de dar um preço, o que parece lógico, mas no mundo da publicidade não é. A maioria devastadora dos e-mails dizia o seguinte:

favor enviar o *media kit* da Jout Jout para avaliarmos a possibilidade de uma ação de um de nossos clientes no canal dela.

ah, que legal! Você sabe me dizer qual a marca que gostaria de fazer uma ação no meu canal?

ainda não podemos informar, mas é de cosméticos, quanto seria um vídeo?

não tenho *media kit*, prefiro que a gente converse e chegue junto a um preço que fique gostosinho para todo mundo. mas antes de tudo preciso saber qual a marca e a proposta do vídeo.

ainda não podemos informar a marca nem a proposta do vídeo, mas temos certa urgência para enviar a proposta para aprovação do cliente. pode me mandar um orçamento até às 15h?

Houve um tempo em que eu continuava afirmando que não seria possível dar um orçamento sem eu nem saber se gostava/usava/me identificava com a marca ou não. Hoje, apenas lanço um "muito grata pelo interesse, mas não vai rolar". Quase me senti obrigada a fazer alguns *merchans* por medo de ficar em maus lençóis com uma ou outra agência. Aquele velho medo de decepcionar as pessoas e a vontade de ser amada por todos. Meu analista chorava.

Eu construí o meu canal do nada, trouxe cada integrante da família Jout Jout para perto com muito esforço e preocupação. Como eu posso pensar em passar uma mensagem que eu mesma não concordo? Eu sou responsável por todos dessa família maravilhosa que eu criei e é exatamente isso que as marcas buscam. Mas, mesmo assim, algumas das pessoas do mundo da publicidade não conseguem ver isso. Na ambição de chegar até a família Jout Jout, eles tinham a pequena exigência de eu correr o risco de perdê-la. Estava esquisita essa lógica.

Mas, como a vida é maravilhosa, algumas agências/marcas/pessoas entendem o conceito de intuição, naturalidade e afinidade. Meu primeiro *merchan* foi exatamente assim. Recebi um email da Ana, do site Enjoei:

> jout jout,
>
> aqui é a ana, do enjoei.com — te amo tanto, vc é tão maravilhosa, tão especial, que não sei nem por onde começar.
>
> quero bolar umas artes pra gente aprontar juntas: jout jout + enjoei.
>
> faz algum sentido na sua cabeça? não sei se vc pensa em explorar toda essa criatividade comercialmente, nem como vc pensa.
>
> então, fia: pensemos juntas! se vc me achar maneira, podemos marcar um skype.
>
> bjo nos cães.
>
> :)

Simples, curto, o bastante para arrebatar meu coração. Você sabe quando uma marca tem a ver com você.

É quando ela entende como você funciona, como seu público funciona, quando ela sabe suas limitações e não tenta forçar você a ultrapassá-las. Mas para cada uma dessas que cruza seu caminho, são seis as que querem um orçamento até as 15h de algo que eles nem perguntaram se você quer fazer, para uma marca que não se interessa pelo fato de você gostar dela ou não.

Um brinde a minha ideia de fazer redação publicitária depois de jornalismo!

A CRISE DA LIBERDADE EXCESSIVA

Sabe quando você é livre e pode escolher entre qualquer coisa no mundo, mas acaba ficando em casa, no quarto, no escuro, porque são opções demais? Pois bem.

Um dia estava indo com Caio para Monte Verde e paramos em um restaurante na estrada. O estacionamento devia ter umas cinquenta vagas e apenas cinco estavam ocupadas. Isso significou uma baixa de dez minutos da nossa vida tentando escolher a melhor vaga. A gente entrava em uma, via outra mais fácil de parar, ia até ela, avistava outra mais perto do restaurante, parava, depois via uma na sombra e corria atrás dela, depois outra perto de uma roseira — e assim vimos a vida escorrer pelas nossas mãos. Quando conseguimos finalmente estacionar, fui ao banheiro, que tinha doze cabines. Todas vazias. Quase me mijei.

A mesma coisa aconteceu quando fui acampar com umas amigas num dia em que Visconde de Mauá estava deserta. Chegamos ao camping e havia uma única barraca armada. Depois de trinta minutos de discussão, estávamos considerando ir embora porque aquela barraca estava ocupando o único lugar perfeito do gramado e não poderíamos ficar ali. Se ficássemos perto da barraca seria estranho, porque com o camping inteiro à disposição não daria para justificar por que havíamos escolhido ficar bem ao lado de um desconhecido. Ao mesmo tempo, acampar em uma parte isolada demais seria perigoso, sem contar que queríamos ficar perto do banheiro, mas não perto demais, para não sentir os cheiros. Ou seja, só dava para ficar no espaço exato que a outra barraca estava ocupando.

O pavor é o mesmo de quando um professor pede para escrevermos sobre a importância da chuva e todo mundo reclama tanto que ele fala "tá bem, então é tema livre". Pânico. Terror. Agonia. Tema livre é uma das coisas piores que pode acontecer com um aluno. Não tem como começar a escrever antes de uma hora de tentativas falhas, incertezas, coceiras, suor frio, para no final você acabar escrevendo sobre a importância da chuva mesmo e sair correndo para ficar em posição fetal em casa.

Esses dias eu fiquei numa loja por cerca de uma hora e meia, o que não seria estranho, não fossem os setenta minutos gastos em não conseguir escolher uma dentre três possíveis estampas de uma carteira. Eu senti — e essa é a verdade absoluta — vontade de chorar e de vomitar durante o processo, tamanha a minha angústia. Quase saí da loja sem nenhuma, por puro desespero. Tive a ideia brilhante de pagar o valor da carteira, sair da loja e ficar esperando Caio vir atrás com uma das três para eu não sentir a pressão de ter escolhido a carteira errada. Ele não gostou dessa ideia. No final escolhi uma e fui embora triste e envergonhada porque a grade da loja já estava fechada há mais de dez minutos e, mesmo assim, eu mantive as duas atendentes em cativeiro por causa de três opções de estampa.

Escolher esmalte, profissão, sabor de pizza, cadeira em cinemas vazios, lugar em um ônibus que tem duas pessoas — tudo isso é uma tortura tão insuportável que você fica presa num limbo da liberdade excessiva, com a sensação de que sua vida vai parar ali e que dali não tem como sair. É uma dificuldade tremenda sair de uma situação de escolha sem pensar na opção que você não escolheu. Foram tantos os contos que já escutei, com monges e sábios e seus pupilos cheios de questões, e a moral da história é sempre não pensar no que você perdeu e sim no que você ganhou. Isso definitivamente não faz parte da minha essência. A maior bênção que pode acontecer para pessoas que sofrem desse mal é entrar em uma pizzaria que serve apenas dois sabores e permite que você peça meio a meio. Mas essa não é a realidade do mundo em que vivemos. São tantas opções, tantas coisas personalizadas, tantos sabores novos de brigadeiro, que você empaca, fica sem reação, gagueja, simplesmente não consegue.

Até chegar um virginiano e decidir tudo para você. Mas até lá, meu Deus, que dor.

A CRISE DE QUANDO CAIO SAI

Eu tenho um probleminha.

Não gosto muito quando meu namorado sai de casa sem mim. Aliás, não gosto quando ele sai sem alguém do lado. Nenhum problema quando ele vai para festas com os amigos, um barzinho, cineminha e pã. Inclusive meu vício em séries resulta em uma grande recorrência de noites em que ele sai sozinho e eu fico em casa de pijama. O meu problema são os momentos de completa solidão (dele). Quando ele vai ali rapidinho e já volta. Quando não precisa vir, não, que é rápido. Quando já, já estou de volta, relaxa. As caminhadas solitárias até a padaria, voltando de uma festa, indo para a análise, ou quando eu peço para ele descer e comprar Nescau para fazermos um brigadeiro porque eu preciso. No minuto em que ele sai pela porta, meu coração dispara. Me arrependo. Começa um fluxo das piores sensações e uma lista imensa e muito detalhada de desastres que podem acontecer com ele, passando por objetos imensos caindo de um prédio bem sobre sua cabeça, ou pessoas caindo de um prédio bem em cima dele, assaltos, esquartejamentos, bala perdida, batidas de carro, alguém que confundiu ele com outro sujeito que esse alguém foi contratado para matar, qualquer coisa horrível que eu não vou saber que aconteceu até ele estar bem morto e que não valeria nem um pouco a pena por um brigadeiro.

E aí começa outra onda de pensamentos no momento em que reparo que ele está demorando demais. Eu sempre penso: quanto é demais? Depois de quanto tempo uma pessoa começa a ficar desesperada com a demora da outra? Quando é normal começar a busca pelo corpo? Toda vez. O mesmo fluxo de pensamentos. Me imagino logo descendo o prédio sem saber onde procurá-lo, e por isso zanzando feito uma louca pelas ruas sem seguir qualquer estratégia lógica de ação; achando o corpo estirado na rua, todo ensanguentado, ou só um tênis jogado num canto; eu pensando na última coisa que falei com ele, como me despedi, se brigamos, se falei coisas bonitas, e assim por diante.

Há um tempo venho fazendo pequenas declarações de amor antes de ele sair de casa, só para garantir. Nada que tenha qualquer lógica por trás, mas eu me envolvo com esses pensamentos a ponto de ele chegar em casa com o Nescau e me encontrar chorando de alegria por ele estar vivo. Ou chorando de desespero por ele quase ter morrido. Depende do dia. Enfim: louca. Completamente louca. Chega dessa crise, eu não gosto dela, ela não faz o menor sentido.

A CRISE DOS PUNS QUENTINHOS

Pum é uma questão. Basta eu viajar para países longínquos que meu organismo se revolta e começa a ver em mim um inimigo. No momento em que escrevo esta crise, por exemplo, estou na Inglaterra, mais precisamente em Liverpool, num comecinho de inverno — e não há intervalo de cinco minutos que não seja interrompido por um pum daqueles quentes, que te seguem pelas ruas, mesmo sendo prisioneiro de tantas camadas de roupa. Ele dá um jeito de sair para o mundo e rodear você, quase que marcando território, gritando para o mundo "sou dela". Não há nada que eu possa fazer. Caio, sempre do meu lado, percebe no mesmo segundo. Ele aproxima o rosto do meu ouvido e começa a soltar ar pelo nariz da forma mais sonora possível como quem diz "deu um peidinho, né? Eu vi".

Todo esse tormento é resultado direto de o meu corpo não gostar de comidas que não são lá de casa. Eu não sei o que acontece, porque eu não como comidas tão diferentes assim, nem fast-food ou coisas muito condimentadas, nada disso. É sempre um trocinho normal, que eu comeria em qualquer lugar, mas que resulta em alguma reação química que acontece dentro de mim e que vou te contar. Caio às vezes compartilha desse meu probleminha, e quando isso acontece, nosso pum fica com o m-e-s-m-o cheiro. É inacreditável. Coisa a ser estudada.

Se eu pudesse pedir uma coisa para uma estrelinha do céu, seria para por favor acabar com esse meu problema. Quando fomos para o Peru, aconteceu de novo. Eram puns que me deixavam constrangida. Às vezes em ambientes fechados, como no trem. Uma vez me deu um surto no trem. Era papo de um intervalo entre puns de no máximo três minutos. Todos quentes, fedidos, expansivos. Teve um que saiu num momento que Caio estava dormindo e eu temi, eu realmente temi, que ele acordasse com o cheiro. Tive que desenvolver uma técnica de vedação que consistia em: cruzar as pernas, colocar um casaco grosso por cima e deixar rolar o que tivesse que rolar. Assim foi feito e o resultado foi maravilhoso. Só que em algum momento tive que sair daquela redoma de puns. O que aprendemos com essa experiência? Há apenas uma coisa pior que um pum quentinho. Um aglomerado de puns quentinhos antigos.

Enquanto escrevo isso, deitada na cama debaixo do edredom do hotel, uns dois puns já se fizeram presentes. Sabe-se lá o que Caio vai encontrar ao sair do banho.

A CRISE DE TER QUE SER EMPURRADO

Eu e Caio temos o costume de pegar coisas simples e transformá-las em problemas horríveis para poder sofrer com eles. É uma tradiçãozinha nossa. No dia em que sentamos com uma amiga para tomar um vinho e conversar sobre frivolidades da vida, nossa grande questão era "queremos sair de casa e morar juntos, mas não precisamos de fato fazer isso porque está bom do jeito que está, então para que gastar dinheiro com isso?". Essa amiga, que já morava com o namorado fazia quatro anos, começou um sermão. Ela contou da vez que ela e o namorado — que é português

— tentaram morar em Niterói por um tempo. Alugaram um apartamento ótimo, com uma vista linda, mobiliaram todinho, assinaram contrato de um ano, ele arranjou um emprego que achava o.k., ela já tinha um emprego que já não estava mais dando tanto tesão, mas que tudo bem e esse era o cenário. Depois de um tempo, eles já estavam tendo aquelas conversas de "nossa vida está muito mais ou menos, mas tudo bem, porque um dia a gente vai tomar coragem e fazer algo a respeito, mas com muita cautela, porque o que temos aqui já é certo e seguro". Aí, numa bela manhã de sol, o rapaz estava indo para o trabalho e foi surpreendido por outros dois rapazes e uma arma na cabeça e lá se vai computador, câmera e todos os documentos possíveis e imaginários, o que já é ruim para um brasileiro, imagina para um português no Brasil que depende muito de documentos. Um segundo depois ele estava comprando passagem de volta para Portugal, e o apartamento que já tinha geladeira e tudo teve que ficar para trás. Os dois foram para Europa sem casa, emprego, nada. Deixaram para lá os passos cautelosos que planejaram para dali a dois anos e saíram às cambalhotas para o lugar onde eles queriam mesmo estar. Conseguiram apartamento, emprego, e ainda podiam voltar para casa de madrugada a pé depois de um barzinho.

— Vocês sabem que nunca vão precisar sair da casa dos pais de vocês, né? Eles têm condição de manter vocês, vai ter sempre um quarto confortável arrumado, a relação de vocês é boa, eles nunca vão querer que vocês saiam ou que ajudem em casa, vai ter comida o bastante, vai ter água e internet para todo mundo sempre. Não vai ter isso de *precisar sair*. Ou vocês saem porque querem ou vocês ficam, porque ninguém vai pedir ou querer que vocês saiam. Não vai ser necessário. Não tem um irmão que está para nascer e precisa do seu quarto. A casa não é longe do trabalho, porque vocês trabalham de casa. Nunca, em nenhum momento, a saída de vocês será requerida, então se vocês estão esperando para sair quando for necessário, podem se acostumar com a ideia de que nunca vão sair. A não ser que um desastre terrível aconteça, como o assalto que aconteceu com a gente. Ou algo muito fora do comum que empurre vocês para fora. Dar esse passo não é jogar dinheiro fora. É o preço que se paga para dar esse passo. Sair da casa dos pais e morar juntos custa isso. Vocês vão viver coisas e ter experiências que custam isso. Se vocês estão vivendo e usando bem esses momentos, o dinheiro foi muito bem gasto. Ele não vai fazer sentido e ser bem utilizado apenas com a condição de vocês não terem nenhuma outra saída senão sair de casa. É uma escolha. E que coisa boa que vocês podem ter essa escolha.

Depois de vinte minutos, estávamos aninhados em frente ao computador em busca de apartamentos agradáveis, com um preço acessível, quem sabe um bom terraço e de preferência uma área externa para as cachorras.

A CRISE DO AGORA NÃO DÁ

Eu e Caio fomos para Portugal. Eu e Caio gostamos muito de Portugal. Eu e Caio gostamos de Portugal o bastante para dar uma olhada rápida na faixa de preços de aluguel em Portugal — depois do sermão da minha amiga, é claro. Mas eu e Caio não fomos adiante com o sonho de morar agora em Portugal. E se não fomos adiante agora, é porque agora não é a hora. Não é a hora porque chega um momento na vida em que *agora* nunca é uma boa hora para fazer nada que não seja muito fácil. As coisas mais complicadas dão um trabalho horrível e não dá tempo de pensar em como resolver uma coisa que dá um trabalho horrível. Por exemplo, como vou levar Margot e Peralta, minhas cachorras maravilhosas, para Portugal? Parece que tem microchips subcutâneos envolvidos no processo. Imagina o trabalho que isso vai dar. Sem condições. Só isso já impossibilita toda a mudança. Na verdade, impossibilitar mesmo, não impossibilita, mas cria um pequeno ranço na alma e toda vez que eu me imagino em Portugal, lembro da dificuldade que vai ser arranjar esse microchip. E o sonho se esvai, assim, sem mais nem menos, em meio a burocracias.

Mas se for pensar bem, ignorando os possíveis impeditivos, agora é a hora perfeita para esse tipo de empreitada. A nossa ideia, na verdade, era morar um pouquinho no mundo todo. Começar pelo Brasil, que tem uns lugares que a gente nem imagina, e ir se espalhando aos poucos. Afinal eu tenho um trabalho que posso fazer de qualquer lugar que tenha internet, e meu cônjuge — amo essa palavra — trabalha comigo, então lá se vai menos um impeditivo. Meu trabalho não rouba o trabalho de ninguém em outro país, e isso já vem com uma facilidade para fazer amigos e conseguir uns vistos maneiros. Para completar, tenho o dinheiro necessário para morar sozinha em Portugal, por exemplo — que é um quinto do dinheiro necessário para morar sozinha no Rio —, tornando tudo ainda mais possível.

Com esse cálculo, podemos perceber que eu tenho menos impeditivos do que possibilidades de me lançar nessa aventura, mas, putz, ir morar na Europa sem passaporte Europeu, mó trabalho. Sem contar que o passo natural agora seria ir para São Paulo porque São Paulo é "onde tudo acontece". E assim entramos numa nova crise, de brinde.

Existe certo charme em não morar "onde tudo acontece". Isso permite que você fique bem relax, visite o lugar onde tudo acontece rapidinho, muito de vez em quando, e depois volte para onde se pode encontrar a paz e retornar ao estado bem relax. Não é todo mundo que entende isso. Mas na verdade nada disso importa, porque dá muito trabalho essa história de microchip.

A CRISE DO QUE É PRÁTICO VERSUS ROMÂNTICO

Eu gosto de carne moída. Caio também. Agora ele está me cutucando porque eu estou falando o que estou escrevendo. Estamos tentando uma nova abordagem de escrita. Ele disse que não é para ficar falando o que for escrevendo. A ideia é sair escrevendo qualquer coisa que vem na cabeça e aí, de repente, algo que vale a pena publicar vai surgir. Acho que eu gosto um pouquinho dessa técnica porque parece que eu estou escrevendo um monte de coisa e na verdade são só umas palavras que vão brotando no meu cérebro, tipo espinafre. Pensei "espinafre", escrevi "espinafre". É uma metodologia boa. Mas faz você pensar: por que espina-fre? Né? O que será que tem no meu subconsciente que veio à tona em forma de espinafre? Popeye? Marinhei-ros? Mar? Medo do mar! Medo de seres do mar! Minha amiga que tem medo de seres do mar e namora um rapaz que tem medo de casar por pressão da burocracia para eles morarem no mesmo país. Ele é gringo, não mencionei? E aí eles têm que dar um jeito de ficar legalmente no mesmo país. Isso inclui união estável. O que ele quer, mas não porque o governo mandou. Ele queria fazer um *proposal* bonitinho, já planejou tudo, acho que tem até aliança. Mas a burocracia fez uma pressão tão grande que eles brigaram. Porque ele queria que fosse romântico, e não prático. Aí ela ficou com a sensação de que ele não queria nada e estava com medo porque ela é brasileira e, teoricamente, isso significa em algumas culturas que pode rolar um golpe. Afinal a mãe dele tem cavalos. No plural. Aí deu uma confusão só porque tinha que ser mais prático e menos romântico. Mas agora está tudo certo. Eles tiveram que fazer a união estável mesmo e é isso aí, mas secretamente estão gostando, embora sem comemorar já, porque não é romântico. Nem prático. Outra coisa que é romântica e não é prática é fusca. O antigo. Não aquele novo da Barbie. Porque fuscas são uma graça e você acha lindo e às vezes têm cores diferentes, mas aí, quando está nele é quente, faz barulho, vai devagar e só na ladeira é que compensa porque tem algum motor de sei lá o quê que parece que é ótimo. Fora isso, só romântico. A mesma coisa sucede com Kombis. Eu e Caio decidimos morar juntos dia desses na minha casa de Pendotiba, em Niterói. Mas quando perguntavam, a gente só conseguia falar que estava fazendo isso porque era prático e não porque queríamos acordar lado a lado todos os dias depois de ir dormir fazendo juras de amor. Aí não deu certo. Não era uma fase boa para nós. Casais às vezes não estão numa boa fase, mas tudo bem, porque passa. Eu vi um vídeo em que um velhinho falava que foi casado com cinco mulheres, mas todas eram a mesma mulher. Fiquei arrepiada e entendi por que eu e Caio estávamos ótimos, aí depois não estávamos, e depois estávamos de novo, só que diferente da primeira vez. Ou seja, as pessoas mudam. O tempo todo. E isso é ótimo. Às vezes descasa, mas às vezes dá um caldo bom. Agora, por exemplo, estamos dando um caldo maravilhoso e queremos morar juntos de novo, só que para poder saudar o sol todos os dias enquanto despertamos de uma conchinha de amor. Então tudo bem fazer as coisas porque é romântico ou porque é prático, porque no final nada disso importa de verdade, já que o que tiver de ser prático, será prático, e o que tiver de ser romântico, assim será, e todos irão desempenhar seu papel muito bem. Tanto o casamento da minha amiga, como o fusca e a Kombi e eu e Caio morando juntos. Em Portugal, de preferência, porque lá tem fado.

A CRISE DO SEXO DA VIDA REAL

Dizem os filmes que sexo é a coisa mais maravilhosa que pode acontecer na vida de alguém. É sempre quente, cheio de paixão, pegadas fortes, posições maneiras, um esfrega-esfrega supersensual, e se você está de fora, está perdendo o maior prazer que podia sentir na vida. O mais intenso, o mais indispensável, algo que você tem que buscar o tempo todo, eternamente, e de preferência um que seja do mesmo jeitinho daquele dos filmes. E, sem dúvida, antes de fazer sexo de fato, uma pessoa vê pelos menos umas 450 cenas de sexo na televisão. Se considerar que a infância dessa pessoa se passou no Brasil nos anos 90, pode dobrar esse número. Então quanto a referências, podemos ficar despreocupados, o mundo vai se encarregar de te dar exemplos, inúmeros e abrangentes exemplos, independentemente da sua idade. Todo esse panorama contribui para que você já chegue lá esperando o maior dos prazeres, um mar de sensualidade, corpos suados e beijos molhados. O que realmente acontece, vez ou outra. Mas, na maioria das vezes, não passa de um amorzinho gostoso mesmo. Ou às vezes nem tão gostoso assim, porque ninguém aqui é uma máquina programada para ser constante em todas as atividades. Da mesma forma que pode ser muito bom tomar banho, pode ser uma luta, um exemplo de extrema complexidade que pode ser estendido a todos os aspectos da vida. Claro que o ideal seria que fosse sempre esse mar de prazer arrebatador — e nisso concordamos em gênero, número e grau — só que, na intenção de chegar lá, começa a ser criada uma série de expectativas um tanto problemáticas na cabeça de um adolescente abarrotado de hormônios. Se você começa a namorar, esse problema das expectativas cresce exponencialmente e então a crise mais comum das crises aparece:

O primeiro sintoma é a obrigação de transar. Não digo transar apenas, mas *querer* transar. Afinal sexo é a melhor coisa do mundo, então se você não quer, a relação está com problemas. Para contornar essa desgraça, o que você faz é: a) transa mesmo sem querer de verdade; b) liga em uma série e dorme no meio. Para casais hétero, tudo fica ainda pior, porque se a mulher não quer, é porque ela é meio frígida, e se o homem não quer, é porque a mulher não é mulher de verdade a ponto de excitá-lo. O certo é todo mundo querer transar apaixonadamente o tempo todo e qualquer cenário diferente é sinal de problema.

Mas calma que só querer transar não basta. É preciso querer transar com frequência. Três dias sem sexo já é motivo para se preocupar, possivelmente virá uma DR e, fatalmente, uma transa meio obrigada. E transas obrigadas, com gemidos forçados, são a prova de que ainda existe um relacionamento ali. Porque ambos estão se esforçando para manter o amor vivo e não podem de forma alguma ser considerados egoístas. Então se um tem uma frequência ideal, o outro deve seguir essa frequência a qualquer custo. Com a ressalva de que a frequência ideal a ser seguida deve ser sempre a do que tem uma frequência mais frequente.

Mas se você estiver em um relacionamento muito saudável, transando, e com a frequência mais frequente, chega um novo agravante chamado "todo mundo tem que gozar, toda vez, e junto". Porque se um gozar e o outro não, rola um climão. Ainda que haja momentos em que o sexo meio que acaba antes de todos os envolvidos chegarem lá e que isso não seja problemático, porque não tem uma cartilha com tópicos a serem ticados durante o processo, a parte gozante se sente obrigada a fazer a parte não gozante gozar, para que todos possam dormir em paz e seguir com suas vidas. E chegar lá nem precisa ser bom. Pode ser demorado e cansativo, a sensualidade que era para estar envolvida já pode ter acabado e as partes podem estar já sem saco, mas se não perseverarem, se não seguirem o protocolo e não ticarem todas as exigências de um sexo de filme, não é um bom relacionamento. Se a parte não gozante não gozar duas vezes seguidas, temos mais um problema. Mais que isso, é possível que estejamos perto de um término. Mas se ambos gozarem tudo se resolve, você imagina. Não, paixão, não me irrita. O cenário se agrava se ambas as partes, apesar de gozarem, não gozarem juntas, porque com uma falta de sintonia dessa magnitude talvez não devessem estar juntas, nem na cama nem fora.

Ao que podemos concluir que: o sexo, que era para ser uma coisinha gostosa e mais uma expressão de amor e desejo, vai virando uma obrigação para você provar para sei lá quem que o seu relacionamento está saudável. Uma obrigação que era para salvar namoros, mas acaba terminando com eles porque é difícil encontrar um casal transante que consiga cumprir tantos requisitos toda vez que for transar. Existe um ou outro, não posso mentir. Mas não é bom — e nem justo — usar essa anomalia de casal para pautar todos os outros que estão aí, na luta, tentando bravamente se enquadrar nos padrões do que é um relacionamento feliz, monogâmico, em sintonia e entupido de sexo bom e selvagem e constante. Principalmente quando tem aquela amiga — e tem sempre aquela amiga — que transa todo dia e/ou goza três vezes por transa e/ou transa, goza e depois transa de novo num intervalo de cinco minutos. Eu tenho essa amiga. Você tem essa amiga. Talvez mais de uma. Essas amigas, fiquem avisados, são raras exceções. A maioria escolhe a opção b.

A CRISE DE QUANDO MEU NAMORADO NÃO PEGOU SARNA

Uma vez apareci com sarna. Comecei a semana me coçando de forma controlada, e bolas estranhas surgiram na pele. Mais tarde comecei a me coçar de forma descompensada, e as bolas foram virando microferidinhas por todo o corpo. Fui ao médico e era sarna. Eu estava com sarna. Eu não acreditei que estava com sarna porque ninguém pega sarna. Você nunca conhece uma pessoa que está com sarna. Elas não existem, ou se escondem, ou tentam se esconder mas acabam te passando sarna e você fica tão azucrinada que não sabe o que fazer com aquela informação e talvez acabe se escondendo também. O povo não está preparado para alguém com sarna.

No meu caso, não foi nada grave, passou em pouco mais de uma semana e não deixou cicatrizes para a vida, nem nada disso. Mas você não deixa de ficar duvidando da sua higiene e da higiene dos lugares que você anda frequentando e das pessoas com quem convive. Tudo isso, apesar de constrangedor, é possível deixar para lá, até seu médico começar a lista dos afazeres domésticos para acabar com a sarna. É preciso mudar a roupa de cama *todos os dias*. Tudo que você toca que é feito de algum tecido tem que ser lavado. E caso você tenha tido contato com alguém, essa pessoa tem que fazer o mesmo processo de lavar a porra toda na própria casa também, só por segurança. Tem uma hora que seus pijamas acabam, seus lençóis acabam, seus amigos acabam, já não dá mais para ir ao trabalho, não porque você vai contaminar a galera — o que também seria um problema —, mas porque você não tem mais roupa. Nessa época eu ainda morava sozinha num apartamentinho gracinha perto do trabalho, o que era ótimo para os meus pais e péssimo para o meu bolso, já que meu apartamentinho gracinha não tinha espaço para uma máquina de lavar roupas. Era ótimo para o pessoal da lavanderia também.

Minha amiga Tila, que ia toda quarta lá em casa, continuou indo toda quarta lá em casa. No início eu ainda não tinha esse diagnóstico irritante, e ficava me coçando muito com ela do lado, porque ela meio que estava lá e eu não tenho o costume de me retirar para me coçar. Em pouco tempo ela também começou a se coçar muito e quando vimos estávamos ambas nos coçando muito com a outra do lado e as bolinhas de sarna foram se espalhando exponencialmente pelo nosso corpo. Um show de horrores. Dias depois recebo um telefonema do namorado de Tila:

— Julia, que porra é essa?

Eu já sabia que a maldição tinha se espalhado.

Até que um fato curioso aconteceu. Me dei conta lentamente de que meu namorado da época não estava se coçando. Minha amiga pegou minha sarna, o namorado dela pegou minha sarna, provavelmente diversos desconhecidos também pegaram minha sarna, e o meu próprio namorado não pegava de jeito nenhum. Eu até sou o tipo de pessoa que coloca problema onde não tem e acha que coisas que não significaram nada significam muito, mas nesse caso, temos que concordar: não se tratava de um nada sem significados. Aquele cenário não estava certo. Me senti traída. Vi logo que tinha caroço nesse angu. Minha intuição, que nunca falha, me deixou completamente abalada. Eu soube ali que o término estava próximo. Não dá para confiar em um namorado que não pega sua sarna.

A CRISE DE NÃO CONSEGUIR DEVOLVER AS COISAS DOS OUTROS

Às vezes você recebe pessoas na sua casa. E às vezes uma dessas pessoas deixa um casaco para trás. E esse é o casaco que ficará para todo o sempre na sua casa sem um lugar certo, com a promessa de que um dia você irá devolvê-lo, o que jamais acontece, porque se você não devolve o casaco que pegou emprestado do armário da sua mãe, que já está na sua casa, que dirá o de um sujeito com quem você nem tem contato direito. E aí num determinado momento você faz uma arrumação gigante no armário e acha o encosto e pensa em doá-lo. Mas não pode, porque a culpa de doar o casaco de uma pessoa que você nunca mais vai encontrar é tão grande que sua única saída é colocá-lo na sacola das coisas dos outros. Ah, a sacola das coisas dos outros! Com o design antigo de uma sacola da Renner de 2006, rasgada em pontos crucias, ela guarda umas coisas de uns amigos que nem se conhecem e que jamais imaginariam que seus pertences se encontrariam numa sacola da Renner. Aquela que começa num lugar bem aparente do armário, para você lembrar de devolver, e que acaba bem socada lá no fundo com as roupas amarrotadas e cheirando a guardadas de tanto esperar. E o cheiro vai se tornando problemático a ponto de você não ter coragem de devolver a roupa mesmo quando a pessoa, que você jurava que não voltaria a sua casa, volta, e você enfim tem a oportunidade de se livrar daquilo. Mas não se penalize tanto, porque quando a pessoa de fato chega a sua casa, seu cérebro tem um mecanismo destinado a eliminar toda e qualquer possibilidade de você lembrar daquela sacola.

Mas se existe uma felicidade no mundo, essa felicidade é a de você lembrar. E isso acontece de zero a uma vez na vida de um adulto. Se já aconteceu, não se repetirá. Mas quando acontece, você se livra daquele casaco como quem se livra de uma cruz pesada, cheia de farpas, que te castiga secreta e sutilmente por anos. Caso não aconteça, existem duas saídas possíveis. Uma é você esquecer em certo ponto que aquele casaco pertenceu a alguém que não você, ou lembrar que pertenceu a alguém mas esquecer quem é esse alguém, e finalmente doar, que era o plano desde o início. Ou você incorpora aquilo ao seu guarda-roupa, esquecendo se foi um presente de Natal que você nunca usou ou uma peça que era da sua mãe e você esqueceu. De repente, é até o caso de criar um laço emocional com a roupa, lembrar de quando sua mãe a usava na infância, inventar uma história de que o casaco é mais velho que você, que vinha com um conjuntinho que acabou se perdendo nos anos. E para a imaginação dedicada ao conforto da mente, o ser humano desconhece limites.

Existe ainda a possibilidade de esse casaco ser de um conhecido de longa data, amigo íntimo, pessoa que se vê com frequência. É difícil entender o motivo, mas esse sujeito jamais voltará a ver aquela roupa na vida. É capaz de ele vê-la em você e comentar "essa roupa aí é minha, né?". Para isso você responde com um sorriso de "é mesmo". No final, esse caso é o menos problemático de todos, porque nessa dança de roupas que vão e que ficam, é capaz da sua acabar voltando sem querer, e se não voltar, também está ótimo, porque o sumiço das suas próprias coisas compensa a perda dos bens do outro e assim um vai equilibrando o armário do próximo, até que os céus se misturam com a terra, e o espírito de Deus volta a se mover sobre a face das águas.

A CRISE DE QUANDO SOBRA UMA QUANTIDADE IRRITANTE DE COMIDA NO PRATO

Dia desses pedi um japonês em casa. Eu estava sozinha e decidi pedir um japonês. Mais que isso, eu decidi pedir trinta peças de comida japonesa. É óbvio que sobraram algumas peças. Mais precisamente onze peças e algumas bolas de arroz que se desprenderam dos seus cobertores de sashimi. Quando você está com alguém, você sabe o que fazer com essa sobra, porque você tem uma pessoa para discutir essas questões com você. Isso dura no máximo um minuto quando há uma companhia, mas eu estava sozinha. O que fazer com sobra de japonês quando você está sozinha em casa?

Não tem o que fazer. Você joga fora? Peças que custaram caríssimo e que estão deliciosas. Claro que não. Mas não tem condições de comer aquilo. Nem metade daquilo. Bota na geladeira? Mas será que estraga? Joga no Google, nenhuma resposta conclusiva. Enquanto isso você vai vendo umas séries, coloca as malditas onze peças de lado e vai engolindo episódio atrás de episódio. A cada intervalo você lembra das peças e se pergunta o que vai fazer com elas, e a cada intervalo você fica com preguiça de pensar mais que cinco segundos nisso e posterga a decisão por mais quarenta minutos. Em pouco tempo você já começa a cair nos velhos ensinamentos que te acompanharam por toda a infância, "tem gente passando fome, não pode desperdiçar comida, papai do céu não gosta que reste comida no prato", tormento atrás de tormento. Você começa a duvidar do seu poder de julgamento. Dava para ter se virado com o que tinha na geladeira. Por que pedir trinta peças se tinha arroz, ovo, feijão? Dava para dar um jeito. Vem um sentimento de incapacidade de morar sozinha. Quem consegue bancar uma vida de comida japonesa toda vez que sente uma fominha? Foram 68 reais, querida. Sessenta e oito reais que saíram voando para você deixar um terço disso no prato. Aliás, vai jogar mesmo no lixo? Já se passaram uns bons três episódios de quarenta minutos e ainda não se tomou uma decisão. O peixe com certeza já estragou. Ou não, mas quem vai provar? Ninguém come japonês de dia seguinte. Devia ter pedido pizza, todo mundo adora uma pizza velha na geladeira. Ou no micro-ondas, um clássico. Mas o combinado que você tinha feito consigo mesma no início da semana era se alimentar melhor e certamente japonês é melhor que pizza. Pelo menos de todas as coisas entregáveis em casa, que se resumem a pizza, japonês e chinês, japonês deve ser a mais saudável. Se bem que rola um exagero no sódio e diz que sódio não faz bem. Seria comida japonesa mais saudável que arroz, feijão e ovo? Surge então a vontade de largar Caio e arrumar um nutricionista de sucesso que possa responder todas essas perguntas para sempre ao meu lado. Mas aí você logo lembra que quando pensou nisso outro dia achou melhor ter um ginecologista como marido, porque qualquer coceirinha poderia ser imediatamente examinada. De todas as profissões, qual daria um marido mais prático de se ter ao lado? Essa é a hora que você se sente mal por ter pensado em largar Caio por um motivo tão 1920. Caio! O que Caio faria? Sem dúvida jogaria tudo fora. Não, Caio consegue ser ainda mais afetado pela culpa cristã do que eu. Ele certamente daria um jeito de comer tudo para fazer as pazes com Cristo e quem mais fosse sofrer diretamente com a sobra de umas peças de japonês no prato. "Prato" é um exagero, porque eu nem cheguei a tirar da bandeja de plástico na qual a comida foi entregue. Só taquei em cima de outra bandeja para levar para o quarto e fazer o combo "japonês no colo + série". Enquanto isso, posso sentir o peixe ficando murcho e mudando de cor.

Sinto o arroz endurecendo, o *hot* Philadelphia ficando frio e triste. Certamente não amadureci o bastante. Não tem como declarar imposto de renda dessa forma. Não posso me comprometer com nada se não sei nem como lidar com sobras de japonês.

Depois de realmente ter passado por todo esse processo degradante, você se dá conta de que tudo não passa de um exagero imenso e fica com vergonha de ter colocado isso num papel para outras pessoas lerem. Você se dá conta que só está botando na conta do sushi suas angústias mais profundas e que ele nada fez para merecer isso. Aí você pega a bandeja recheada de onze peças e umas bolas de arroz e joga fora, podendo voltar enfim a ver suas séries em paz. Mais ou menos em paz.

A CRISE DE NÃO SABER LIDAR COM A MORTE

Morte é foda.

A CRISE DE SER UMA AMIGA RUIM

Há alguns anos, depois de meio período de experiência na UFF em que percebi que letras não era o curso para mim, decidi que iria para a Irlanda viver histórias incríveis antes de começar jornalismo em outra faculdade. Arrumei as malas, avisei às amigas e fui. Fiquei um mês e meio estudando inglês e lendo muito em parques até que Tila* resolveu passar quinze dias comigo. Eu que já estava meio afundada na solidão — porque

---

* Falei Tila como se todo mundo conhecesse Tila. Costumo dizer que Tila sou eu em outro corpinho. Um corpinho mais cético, mais racional, pelo menos cem vezes menos sentimental e que carrega ótimos conselhos. Ela gosta de coisas perfeitamente alinhadas, de dança, de Jack, e um dia já ganhou um troféu de pessoa mais engraçada do mundo. Eu que dei.

esperava ser mais proativa na arte de fazer amigos — e quase morri de tanta alegria. Ela foi e nos divertimos como duas amigas-quase-irmãs se divertem soltas na Europa aos dezenove anos. Foi esplendoroso.

Anos depois, Tila foi à Inglaterra fazer intercâmbio por um ano. A ideia era que eu fosse visitá-la, como ela me visitou, assim que a passagem ficasse mais barata, afinal já estávamos na idade de viajar por conta própria, sem o bom e velho auxílio financeiro materno. Surgiu uma oportunidade de eu e Caio passarmos oito dias com Tila e o namorado na Europa. Mas eu não fui. Em vez disso, resolvi ir para Nova York com Caio e deixar a Inglaterra para outra oportunidade, que fatalmente nunca aconteceu.

É claro que essa culpa me corroeu as entranhas por meses, e até hoje me dói um pouquinho. Tila ficou superchateada, parou de falar comigo por uns dias e, até hoje, em toda oportunidade que tem ainda joga essa falha na minha cara, como toda boa irmã deve fazer. Acabou que me vi obrigada a não curtir a viagem para Nova York tanto quanto poderia, porque eu devia me punir por ter sido uma péssima amiga. Aquele jeitinho de autossabotagem tão querido por nós. Não vi outra saída senão dedicar algumas sessões de análise ao fato e ouvir, como sempre, um monte de coisa que eu não queria admitir.

Quando comecei a contar a história na defensiva, e claro, sendo a mais tendenciosa possível, meu analista me perguntou por que eu não fui então para a Inglaterra.

— Mas não é óbvio? — falei. — Porque eu não tinha dinheiro!

— Mas e Nova York? Como você foi para Nova York? Não foi com o seu dinheiro?

— Tudo bem, eu tinha um dinheiro, mas não parecia lógico gastar numa viagem apressada pela Europa sem aproveitar direito cada lugar.

— Então você tinha dinheiro para ir para a Inglaterra visitar Tila?

— Ter eu tinha, mas não era lógico visitar com pressa, sabe?

— Mas então você poderia ter visitado Tila e escolheu não visitar?

— É, eu poderia ter visitado, mas não fazia sentido visitar correndo, podendo ir para uma cidade só e depois voltar.

— Julia, qual o problema de você escolher viajar para Nova York com Caio e não visitar a sua amiga? Por que o certo é visitar a amiga? Você não pode preferir ir para Nova York com Caio? Você escolheu isso. Não foi dinheiro, você quis a outra opção. E não tem problema nenhum nisso. Você não precisa ser a melhor amiga o tempo todo, a que faz tudo que é preciso para ser a melhor amiga do mundo o tempo todo para todo mundo. Você pode não querer fazer uma coisa ou outra. Não tem problema. Mas tem que bancar as suas decisões.

É importante fazer análise, sabe? Você chega a uns lugares que jamais chegaria sozinha.

A CRISE DE NÃO SER A CONFIDENTE

Faço parte de um grupo de amigas que mora na mesma cidade e raramente consegue se ver. Alguém sempre sugere um encontro das meninas, todas adoram a ideia e no final surgem compromissos inadiáveis que impossibilitam o encontro para todo mundo. É quase uma tradição. Até que uma dessas amigas, que foi morar em Guarapari, nos chamou a atenção para o fato de que ia ter um baile funk na semana seguinte e que seria legal se fôssemos. Cinco meninas do grupo compraram passagem para Vitória e ingresso para o baile funk em menos de meia hora e ninguém entendeu como aquilo havia acontecido. Foi um milagre. E eu estava nesse milagre.

Os dias seguintes foram de extrema excitação, planejamentos, fotos de looks para o baile, tudo como manda o figurino. Dentro de poucos dias todas chegaram e espalharam suas malas, nécessaires e toalhas por todo lado. Éramos seis meninas em um apartamento bem pequenininho e aconchegante conversando sobre as coisas todas da vida e no final indo arrastar a calcinha no chão. Foi maravilhoso, catártico, um banho de experiências únicas. Sem crises aí. A crise veio em um dos papos alegres que estávamos tendo sobre qualquer coisa. Quando uma das amigas soltou uma informação que eu não tinha sobre outra amiga, uma grande amiga. Nós temos esse costume de falar coisas absurdas e ver até quando as outras vão acreditar e se, em algum momento, vão se dar conta de que era uma brincadeirinha. Eu sempre acredito até o fim mesmo nas coisas mais absurdas, mas nesse dia eu já estava preparada. Essa amiga soltou a tal informação e eu morri de rir porque claramente era mentira. Apontei e disse:

— Que grande mentira!

Insisti nisso por bons cinco minutos. A que havia falado ficou rindo nervosa e a amiga que havia sido exposta ficou meio sem graça. Não era mentira. Era verdade e eu não sabia.

Mas não podia ser verdade na minha cabeça porque aquele era o tipo de informação que eu teria. Eu, que sempre fui a melhor amiga de todo mundo, sempre fiz papel de confessionário, sempre tive o trauma de não ser a mais bela na adolescência, mas pelo menos era a mais confiável para desabafar qualquer angústia, logo eu (!) não sabia de uma grande angústia de uma grande amiga. Fiquei arrasada. A adolescência — eu não havia notado — já havia passado, e o que era regra antes não é mais agora. Eu me acostumei com um padrão que não era real há tempos, mas que só eu não sabia. Eu não precisava ser a melhor amiga de todo mundo, nem ser a primeira pessoa a quem qualquer um recorre para desabafar suas tristezas. Aquele bando de adolescente cresceu, foi para o baile funk e eu ainda achava que tinha isso de "melhor amiga". Foi uma longa noite olhando para o teto até entender que ninguém é obrigado a me contar nada, como antes. É natural que em um grupo de amigos uma pessoa se aproxime mais de outra, sem impedir que a amizade continue para todas. Amadurecer tem dessas coisas.

Agora falta aprender como se declara imposto de renda.

A CRISE DE INFLUENCIAR DEMAIS

Era um dia quente e eu estava no metrô. A porta abriu, entrei no vagão e, do lado de fora, uma menina que eu não conhecia fez sinais indicando que queria falar comigo. Prontamente saí e ela falou, com lágrimas nos olhos, que eu havia contribuído para o divórcio de uma amiga dela que estava em um relacionamento destrutivo há tempos, mas vivia em negação. Meu corpo inteiro ficou arrepiado, conversamos mais um pouco, nos abraçamos e fui embora. Ela se referia a um vídeo que eu fiz chamado "Não tira o batom vermelho", sobre como identificar se você está vivendo um relacionamento abusivo. Depois dela, outras pessoas me pararam na rua, algumas me abraçaram forte, outras choraram e não falaram nada, algumas riram, pularam, tremeram, mas com todas, independentemente da reação, eu criei um laço muito forte. Por mais que nunca tenhamos nos encontrado de novo, mesmo sem saber o nome ou a história delas, de alguma forma eu toquei a vida dessas pessoas, e no momento em que elas me confidenciaram isso, tocaram a minha vida também.

Começou a ser mais e mais comum eu ouvir a frase "conheci seu canal essa semana e terminei ontem com meu namorado". Uma vez um casal me parou para falar que meu vídeo tinha ajudado muito eles, porque o menino da direita abusava descaradamente do da esquerda e que isso tinha parado no momento em que viram o vídeo. Nada poderia me trazer uma felicidade maior. Eu ajudei um casal a ter uma relação mais saudável. Ajudei uma menina a entender que ela não precisava de um rapaz para ser quem ela queria. Ajudei filhos a entender que a relação que tinham com os pais não era normal, que seu amorzinho dizer que vai se matar se você terminar com ele não é um bom motivo para continuar namorando. Recebi muitos e-mails. Muitos mesmo. Com histórias macabras e outras nem tanto. Algumas de pessoas que queriam terminar mas não sabiam como e acabaram colocando o término na minha conta. É claro, existe gente de todo tipo.

As pessoas querem alguém que fale o que elas já sabem, às vezes o que precisam é do respaldo de desconhecidos para poder fazer algo a respeito. A gente precisa de reafirmação o tempo todo para não dar um passo errado, arriscar tudo, fazer uma coisa muito fora do comum. Como ter um relacionamento aberto sem provas de que já deu certo para alguém? A gente precisa de certezas, de casos com final feliz, a gente precisa de um empurrãozinho. Eu, sem querer, virei essa pessoa que dá o empurrãozinho e essa é uma pressão que eu nem imaginava que teria quando liguei a câmera pela primeira vez. É essa pressão que faz com que as agências me considerem no plano de marketing delas, porque nas anotações feitas nos Moleskines dos publicitários podemos encontrar meu nome anotado na lista de "influenciadores". Não somos mais *youtubers*, blogueiros, vlogueiros. Somos *influenciadores*.

Isso quer dizer que eu falo uma coisa, essa coisa faz sentido para uma pessoa e essa pessoa toma uma decisão. E as marcas hoje buscam isso. Elas querem essa decisão. Se não tivesse assistido meu vídeo talvez aquela pessoa não tomasse uma decisão — ou demorasse para tomá-la. Eu realmente mudei a vida dela, não de um jeito romantizado, mas a influenciei a ponto de ela comer um hambúrguer que achei muito gostoso ou se sentiu confiante o suficiente para assinar papéis de divórcio ou, quem sabe, repensou a forma como estava tratando a pessoa amada. Eu, que não consigo não imaginar cenas catastróficas, logo penso nessa galera que foi dispensada "por minha causa" aparecendo enfurecida na porta da minha casa com uma faca na mão. É o tipo de coisa que não conto para minha mãe, porque ela conseguiria imaginar algo ainda pior. Esse poder de influência, apesar de sedutor para muitos, é meio desesperador.

Mas é bom. É uma forma de garantir que a influência seja da boa. Hoje posso dizer que estou o tempo todo meio desesperada. Então, pode confiar.

A CRISE DO PRIMEIRO NAMORADO

Meu primeiro namorado era uma graça. Ele era mais alto, mais velho, mais bonito, uma bênção para um primeiro namorado. Infelizmente não tínhamos muito assunto, mas isso não importava, porque ele era tão alto. Eu tinha quinze anos e minhas prioridades estavam ainda um pouco embaçadas. Só sei que quando fui passar as férias na casa do meu primo em Atafona achei o rapaz alto e logo imaginei nosso casamento, um costume que eu tenho. Nos beijamos pela primeira vez deitados na areia, num luau, perto da fogueira. Não dava para ser mais romântico. O que eu não sabia na época era que um início de namoro romântico não garante absolutamente nada, e assim passei grande parte do nosso relacionamento assistindo a ele jogar *Winning Eleven*. Ele era um dos melhores amigos do meu primo, primo este muito divertido, sorridente, sedutor, envolvente de uma forma invejável. Não tem um grupo de pessoas ao qual ele seja apresentado que não morra de amores de imediato. É um dom que ele tem. Meu namorado gostava muito do meu primo, mas comecei a notar que algumas vezes ele gostava demais. Não sexualmente, mas era uma admiração que volta e meia incomodava.

Quando completamos cinco meses de namoro, sugeri que fôssemos jantar num restaurante japonês para comemorar. Ele achou uma boa ideia e logo quis transformar essa boa ideia em uma ideia excelente.

— Vamos chamar seu primo — ele sugeriu.

— Mas, Guilherme, é nosso aniversário* de namoro — salientei.

— Qual é o problema? — ele insistiu.

---

* Nessa época da vida, principalmente quando se está vivendo o primeiro namoro, é natural que se comemore meses de namoro e que chame isso de *aniversário*. Hoje parece estúpido, mas que costume de adolescência não parece estúpido aos vinte e poucos?

Ele de fato não via problema. Aos poucos nossa relação foi ficando mais e mais distante. Não sei se era o amor dele pelo meu primo ou o fato de não conseguirmos conversar por mais de dez minutos sobre qualquer assunto. O fato é que não dá para forçar o direcionamento do amor do seu namorado para você. Às vezes ele vai amar mais seu primo. Em alguns casos, pode ser até uma melhor amiga, então eu estava no lucro. E quando isso acontece, você termina. Ou transforma num *ménage*. Mas não deve ser fácil engatar um *ménage* com uma pessoa com quem você não tem assunto.

A CRISE DA CULPA HEREDITÁRIA

Na minha família materna temos o estranho costume de fazer as pessoas que mais amamos se sentirem culpadas. Gostamos também de nos sentir culpados por coisas que em geral não são culpa nossa. Esse costume nasceu com a minha avó e foi passado de mãe para filho, como a mais preciosa herança — depois das ancas largas — por todas as ramificações, até chegar aos netos. A primeira bisneta da família nasceu e já posso vê-la sentindo culpa no minuto em que preferir passar um fim de semana na casa da amiga em vez de ir ao aniversário da bisa. A bisa vai ficar tão tristinha, vai achar que ela não a ama mais. Quão frágil é esse amor que não resiste a uma ausência em um aniversário? Minha mãe, coitada, aprendeu da pior maneira. Em um dia ensolarado, ela brincava de se pendurar em uma goiabeira que tinha perto da casa onde morava. Ela era uma criança e estava em cima de uma árvore. Ela estava feliz. Em meio a essa felicidade toda, aparece sua mãe, minha avó, e grita:

— Tá felizinha aí em cima da árvore, é? Sua madrinha morreu!

Mal sabia minha vó o quanto essa história recairia sobre Caio, que nada tem a ver com isso. Porque quando a gente cresce sentindo culpa, a gente dá um jeito de repassar essa culpa para os nossos entes mais queridos. Foi assim da minha avó para minha mãe, da minha mãe para mim e, quando fui ver, já estava fazendo o mesmo com meu namorado. Não, amorzinho, não precisa ver essa série comigo não, pode jogar video game, eu posso ver sozinha, não tem problema. Culpa. Como pequenas facas amargas dilacerando seu coração em doses diárias. Agulhadas doídas como a picada de uma abelha.

Tia Ane, a anciã da família, consegue ser ainda melhor — é claro, ela está há oitenta anos nessa luta, coitada. Na época do vestibular, ela segurou minha mãozinha jovem e confusa entre suas mãos calejadas e experientes e falou:

— Eu aposto todas as minhas fichas em você, filhinha.

Podemos imaginar o que aconteceu quando zerei a prova de física. Expectativa demais é um jeito bom de se alcançar a culpa. Porque você nunca vai conseguir ser tão maravilhosa quanto a expectativa sugere que você é, então sempre vai acabar em decepção, e a decepção, em culpa.

Por isso eu e Caio decidimos que com nossos filhos vai ser diferente. Não vamos esperar nada deles. Acharemos ótimo o rumo que eles quiserem tomar. Se não quiser dar presente para o pai de aniversário, não dá; se quiser entrar para uma igreja, entra; se quiser ser satanista, seja. Fui a uma reunião de amigas com pensamentos liberais como esses e me vi no meio de um papo com uma amiga ainda mais liberal. Ela conseguia ir além. Ela entende a importância da liberdade, o quanto devemos aprender com nossos próprios erros e quão inútil é proibir demais. Ela sentiu na pele. Conversávamos sobre nossos pelos pubianos, e ela, tristinha, contou que fazer depilação a laser foi o maior erro de sua vida, porque agora ela queria uma xereca bem cabeluda em forma de triângulo e tinha que se contentar com um bigodinho de Hitler. Já pensando na filha que um dia teria e querendo evitar essa angústia para a pessoa que nem existia ainda, ela prometeu: filha minha não vai fazer depilação a laser.

A gente promete que vai fazer diferente e quando vê está usando roupa de oncinha com anéis dourados gigantes. Eu estou no caminho de virar minha mãe e repetir as mesmas mazelas, e minha amiga também. No final dessa história, a filha dela vai depilar aquela xereca até o talo e esconder para sempre, morrendo de culpa por ter decepcionado a mãe. É como deve ser, não tem saída.

A CRISE DE FICAR NO CHINELO

Quando conheci a mãe de Caio, eu estava meio tímida porque tinha dormido na casa dele e só fui apresentada a ela no dia seguinte. Para minha sorte, ela não ligava para essas etiquetas de apresentação de peguetes. Depois dessa primeira impressão, logo mostrei que não era tão tímida assim e ela conseguia ser menos ainda. Sempre batemos longos papos sobre as coisas todas da vida e um dia, numa conversa sobre o passado, relembrando antigos namoricos, ela me confidencia as seguintes palavras:

— Nunca conheci um homem que eu quis e não tive.*

---

* Com o perfil carente, sensível e inseguro que já traçamos sobre mim, é desnecessária qualquer continuação para essa história.

A CRISE DAS COISAS QUE PARECEM CERTAS NA HORA, SEM UM MOTIVO APARENTE, E VOCÊ ACABA DUVIDANDO DA VALIDADE DELAS POR ISSO, E DEPOIS ACHA TRANQUILO, PORQUE TUDO BEM

Se você diz que quer ser dentista, já dá para prever mais ou menos os rumos que sua vida vai tomar. Podemos dizer o mesmo de pessoas que escolhem ter filhos ou das que escolhem não ter, e também das que optam pelo veganismo. De qualquer indivíduo que tome alguma decisão importante na vida, na verdade. Existe uma sucessão de acontecimentos óbvia em toda escolha que uma pessoa faz. Por mais que uma ou outra fuja um pouco do padrão, o padrão existe. E, se existe um padrão, é natural que você se sinta tentado a ficar bem próximo dele — talvez porque já foi testado e as chances de dar tudo certo são maiores, o que traz uma segurança tentadora. E não só para você. Sua mãe também gosta de te ver no trilho certo. Seu amorzinho, seu chefe, seus funcionários. Qualquer pessoa que se importe com você ou que dependa da sua sanidade e do seu equilíbrio. Enquanto você existir, haverá sempre alguém preocupado com o que você faz. E assim vamos tomando decisões óbvias e até ficamos animados com elas, mas nem sempre nos perguntamos o motivo daquela decisão ser a mais óbvia. Você tem a sensação de que é a escolha certa, mas não sabe bem quem decidiu isso. Se foi você, a pessoa que te ama ou a que depende de você.

Quando minha mãe soube que recebi a proposta para escrever um livro, ela quase se mijou. Desde que aprendi a escrever, ela me diz que no segundo em que fizer um livro ficarei milionária. Pressão nenhuma. Eu já sabia que ela reagiria assim e fiquei também muito animada com a ideia, porque, sendo o clichê que sou, meu sonho na adolescência sempre foi ser escritora. Depois que defini a editora, assinei contrato e apertei mãos, finalmente pude sentar e começar a escrever. Foi quando me dei conta de que não tinha ideia do que iria escrever. Não passei anos escrevendo um livro e correndo atrás de editoras, sendo rejeitada por várias que, mais tarde, se arrependeriam por não ter visto o potencial do meu personagem, e ficando riquíssima com os filmes baseados no meu livro. O que aconteceu foi: fiz um vídeo sobre relacionamentos abusivos e de repente vários e-mails apareceram na minha caixa de entrada, com a mesma proposta indecente de fazer um livro. Meu ego foi um tanto quanto massageado naquela semana. A adolescente que mora em mim aceitou de imediato, sem nem pensar que essa decisão viria seguida de meses de dedicação a um livro que eu nem sabia sobre o que seria. Parecia a escolha óbvia. Sempre quis escrever livros, várias editoras querem que eu escreva, minha mãe quer, provavelmente a família Jout Jout não vai se opor, então me dá esse contrato aqui que eu quero assinar.

Uma vez assinado, veio um pensamento de importância secundária: por que foi que eu assinei um contrato que diz que vou escrever um livro, se eu não tenho absolutamente nada sobre o que escrever? Depois desse pensamento, um novo problema apareceu. Todos os *youtubers* brasileiros do mundo lançaram livros. Para cada semana em que eu não sabia sobre o que escrever, um novo livro escrito por um *youtuber* era lançado, e comecei a achar que fazia parte de uma seita mas que ninguém se lembrou de me avisar. Quando assinei o contrato, achei que estava sendo diferentona, um jovem prodígio, uma realizadora precoce de sonhos. Nada

193

disso. Apenas mais um livro de uma *youtuber* famosinha. Comecei a escrever sobre a minha vida, testei várias formas diferentes e tudo me parecia ridículo porque lembrei tardiamente de um pequeno detalhe: tenho 25 anos e nada do que fiz até agora é importante o bastante para colocar em um livro. Não protagonizei grandes feitos, não tive ideias revolucionárias. Sou o que chamam de uma pessoa como outra qualquer. De que importa como perdi minha virgindade? Como isso pode ser interessante para alguém no mundo? Escrever este livro foi uma grande crise generalizada.

Até que — tem sempre um "até que" — cheguei à melhor conclusão de todas as conclusões, que é: tudo bem. Nessa de pensar demais sobre quão óbvia uma decisão é ou não. Comecei a achar que todas as decisões que pareciam óbvias estavam erradas e que eu estava caindo num mar de pessoas acomodadas e nada aventureiras que fazem tudo como manda o script, e por isso são risíveis. Eu, que sou maravilhosa e perfeita, não poderia fazer isso. Logo eu que — pegando emprestadas minhas próprias palavras usadas numa crise lá atrás — costumava pensar que tudo que eu produzisse tinha que ganhar prêmios e que, se eu fosse escrever um livro, seria para ganhar um Jabuti, virar escritora-revelação, rainha das letras, ganhar cadeira de imortal, ser traduzida para duzentas línguas e ter gente tatuando minhas frases emblemáticas. Ou seja: não poderia jamais escrever um livro que fosse menos do que esplendoroso e aplaudido de pé pelos maiores críticos literários de todo o país. Meu analista achou esse pensamento um pouco problemático. Quando eu chegava lá sentindo inveja, falava que não queria sentir, porque é feio ser invejosa e sou maior que isso. Quando eu chegava sentindo ciúmes, falava que também era feio ser ciumenta e que eu, sem dúvida, era maior que isso. Ele disse que eu tinha que correr o risco de ser quem eu era, e que, ao não querer sentir sentimentos que eu reprovava, estava apenas com a exigência de ser perfeita, e que talvez fosse menos presunçoso se permitir ser um pouco invejosa e ciumenta.*

Eu culpo minha mãe, claro, porque ela me pegou nos braços quando nasci e me assegurou de que eu era a pessoa mais especial que já existiu no planeta. Eu não poderia me contentar com menos. Ah, mas como é melhor a vida quando você se dá conta de que não precisa ser a pessoa mais especial do planeta. Não por falta de ambição ou por se contentar com muito pouco, mas não ser a mais especial não é igual a ser a menos. Isso de ser especial é tão subjetivo que, quando eu estava lá, recém-nascida, sendo acusada de ser a mais especial, provavelmente compartilhava este fardo com mais uns milhares de crianças. E não dá para ter várias

* Um minuto de silêncio.

pessoas mais especiais do planeta no mesmo planeta, diz a matemática.

Decidi então escrever um livro: não sobre minha vida, mas sobre minhas crises, e, enquanto eu tentava entender a crise de escrever um livro, de vez em quando me esquecia de que tinha que me preocupar com isso e acabava achando ótimo escrever sobre o que eu tinha escolhido escrever. Era só me descuidar que me divertia horrores. Escrever tinha virado uma grande crise, mas também me ajudou a entender o quanto, às vezes, é preciso ter uma crise ou outra para saber como sair delas. Revivi crises que na época pareciam eternas, mas quando botei no papel vi que, se ficasse mais um pouquinho sem pensar nelas, eu esqueceria que aquilo um dia me incomodou tanto. Sem crises, parece que você não se transforma. E, se você não muda, você para.

O que importa no final é que este foi um livro especial, escrito por uma pessoa especial, para você, outra pessoa especial, ambas filhas de pessoas também especiais, que certamente fizeram, elas também, coisas bem especiais.

ESTA OBRA FOI COMPOSTA PELA SPRESS EM ARCHER E
IMPRESSA PELA GEOGRÁFICA EM OFSETE SOBRE PAPEL
PÓLEN SOFT DA SUZANO PAPEL E CELULOSE PARA A
EDITORA SCHWARCZ EM JULHO DE 2016

A marca FSC® é a garantia de que a madeira utilizada na fabricação do papel deste livro provém de florestas que foram gerenciadas de maneira ambientalmente correta, socialmente justa e economicamente viável, além de outras fontes de origem controlada.